Hoffmann · Klatt · Reuter

Die neuen deutschen Bundesländer

*Am 3. Oktober 1990 wurde der Beitritt der vormaligen DDR
und damit der fünf Länder Brandenburg, Mecklenburg-
Vorpommern, Sachsen, Sachsen-Anhalt und Thüringen zur
Bundesrepublik Deutschland vollzogen.
Das Bild zeigt den feierlichen Augenblick um Mitternacht
vor dem Reichstagsgebäude in Berlin.*

Hoffmann · Klatt · Reuter

Die neuen deutschen Bundesländer

Eine kleine politische Landeskunde

CIP-Titelaufnahme der Deutschen Bibliothek

Die neuen deutschen Bundesländer : eine kleine politische Landeskunde /
Hoffmann ; Klatt ; Reuter. - München ;
Landsberg am Lech : Aktuell ; München : Moderne Verl.-Ges.,
1991
  ISBN 3-87959-437-6
NE: Hoffmann, Alexander; Klatt, Hartmut; Reuter, Konrad

Bildnachweis:
BER: S. 60. / Bundesbildstelle: S. 14, S. 23, S. 40, S. 41. /
DPA: S. 1, S. 10, S. 17, S. 19, S. 21, S. 27, S. 29, S. 31, S. 32, S. 33,
S. 38, S. 39, S. 43, S. 51, S. 52, S. 53, S. 55, S. 56, S. 59, S. 60, S. 63,
S. 67. / Globus: S. 87 / Thomas Gruber: S. 2
Werkbild Opel: S. 65

BONN AKTUELL
Januar 1991
ISBN 3-87959-437-6

© Verlag Bonn Aktuell GmbH, Stuttgart, München, Landsberg
Vertrieb: Moderne Verlagsgesellschaft, 8000 München 19

Umschlagentwurf: Gruber & König, Augsburg
Satz: Fotosatz H. Buck, 8300 Kumhausen
Druck- und Bindearbeiten: Presse-Druck, Augsburg

Printed in Germany

Inhaltsverzeichnis

Föderalismus in Deutschland
Von Konrad Reuter

Die Landesparlamente im politischen System der neuen Länder
Von Hartmut Klatt

Vorwort

Die deutsche Einheit, die vor dem Herbst 1989 in weite Ferne gerückt schien, ist Wirklichkeit geworden. Die dramatischen Ereignisse der friedlichen Revolution in der ehemaligen DDR stehen uns allen noch lebendig vor Augen.

In mutigen und machtvollen Demonstrationen brachten unsere Landsleute in Leipzig, Dresden, Chemnitz, Halle und vielen anderen Städten zum Ausdruck: ,,Wir sind das Volk!''. Am 9. November 1989 fiel die Berliner Mauer, am 18. März 1990 fanden die ersten freien, gleichen, geheimen und direkten Wahlen zur Volkskammer statt. 38 Jahre nach der Auflösung der Länder durch den sozialistischen Einheitsstaat DDR wurden die alten Länderstrukturen wiederbelebt. Am 3. Oktober 1990 wurde schließlich der Beitritt der Deutschen Demokratischen Republik zur Bundesrepublik Deutschland nach Art. 23 des Grundgesetzes vollzogen.

Damit sind die fünf Länder Brandenburg, Mecklenburg-Vorpommern, Sachsen, Sachsen-Anhalt und Thüringen Teile der Bundesrepublik und seit der Bildung der Landesregierungen auch im Bundesrat gleichberechtigt vertreten. Die Bindungen und Verbindungen zwischen den Menschen in der westlichen Bundesrepublik und unseren Landsleuten in den östlichen deutschen Ländern werden von Tag zu Tag intensiver. Es geht um die gemeinsame Aufgabe, die Hinterlassenschaft des SED-Regimes zu überwinden und aufzubauen, was in den vergangenen 40 Jahren versäumt wurde.

Damit die Menschen schneller und besser miteinander vertraut werden, müssen die noch bestehenden Informationsdefizite möglichst rasch beseitigt werden. Wie sehen die neuen Länder aus, was müssen wir von ihrer Geschichte wissen, wo liegen ihre kulturellen und wirtschaftlichen Schwerpunkte und welche politischen Strukturen haben sich inzwischen gebildet? Darüber gibt dieses Buch Auskunft. Auf diese Weise soll es dazu beitragen, die Verbindung zu den neuen Ländern möglichst eng werden zu lassen.

Die ehemalige DDR war eine zentralistisch organisierte Diktatur. Nun leben die Menschen zwischen Stralsund und Suhl, zwischen Magdeburg und Görlitz wieder in Ländern und in einem demokratischen Bundesstaat. Die föderalistische Struktur, die der Bundesrepublik durch die Verteilung der Macht auf Bund und Länder, durch die dynamische Vielfalt der Kräfte und durch Bürgernähe schon bisher zum Vorteil gereichte, wird sich auch für den Aufbau der neuen deutschen Länder als besonders hilfreich erweisen.

Henning Voscherau
Präsident des Bundesrates

Das Profil der neuen Länder

Von Alexander Hoffmann

Brandenburg

Zahlen und Fakten

Mit 29 059 km² ist Brandenburg das größte neue Bundesland. Rund 2,64 Millionen Menschen leben in Brandenburg, einem Kernland des untergegangenen Preußens. Gebildet wurde das Land 1990 durch die Zusammenlegung der früheren DDR-Bezirke Potsdam, Cottbus und Frankfurt/Oder. Die Kreise Hoyerswerda und Weißwasser gingen an das Land Sachsen, der Kreis Jessen kam zu Sachsen-Anhalt. Dafür wurde Brandenburg um die Kreise Perleberg, Prenzlau und Templin ergänzt.

Im Norden wird das Land von den Ackerlandschaften um Neuruppin und Pritzwalk, von der Schorfheide und der Uckermark bestimmt. Im Süden dominiert der Höhenzug des Fläming, im Osten liegt die Lausitz, im Westen die Seenplatte um die Landeshauptstadt Potsdam.

Brandenburg umschließt die Weltstadt Berlin; in weiten Teilen ist es eine beschauliche, agrarisch strukturierte Landschaft, durchsetzt mit einzelnen Industrieinseln. An der Oder sind zu DDR-Zeiten neue industrielle Schwerpunkte und Neubausiedlungen entstanden.

Die größte Stadt des Landes ist **Potsdam** mit rund 141 000 Einwohnern. Seit dem 17. Jahrhundert war Potsdam Residenzstadt. Friedrich der Große ließ Potsdam glanzvoll ausbauen, unter anderem durch Schloß und Park Sanssouci. Anfang des 19. Jahrhunderts kamen klassizistische Bauten hinzu. Auch im deutschen Kaiserreich blieb die Stadt Residenz- und Verwaltungssitz. Im Schloß Cecilienhof schlossen die Alliier-

*Schloß Sanssouci
in Potsdam,
Ausflugsziel
am Wahltag,
dem 14. Oktober 1990*

ten 1945 das Potsdamer Abkommen. Eine Industrialisierung fand in Potsdam kaum statt, dafür war die Stadt seit 1917 mit Spielfilmstudios in Babelsberg ein Zentrum des deutschen Films. Zunächst arbeitete hier die UFA, später die DEFA. Potsdam ist auch Sitz mehrerer Hochschulen.

Cottbus (129 000 Einwohner) war in der SED-Ära die Hauptstadt des „Energiebezirks" der DDR. Rund um die Stadt erstreckte sich das Zentrum des Braunkohleabbaus und seine Umwandlung in Energie. Aus der Tuchmacherei entwickelte sich eine Textilindustrie, die bis in dieses Jahrhundert eine Säule der örtlichen Wirtschaft war. Sehenswert ist der Altmarkt mit Handwerker- und Kaufmannshäusern aus dem 17. bis 19. Jahrhundert.

Brandenburg (93 000 Einwohner) ist die älteste Stadt des Landes. Im Mittelalter war sie Handelsplatz und Ackerbürgerstadt. Heute steht hier ein Stahl- und Walzwerk. In dieser Stadt liegt auch eine berüchtigte Strafanstalt, die von den

Nationalsozialisten und später vom SED-Regime genutzt wurde. Zur Sanierung des schönen, alten Stadtkerns der früheren Hansestadt läuft derzeit ein Sonderprogramm.

Frankfurt/Oder (87 000 Einwohner) ist die Grenzstadt zu Polen. 1253 gegründet, war Frankfurt vom 14. bis 16. Jahrhundert Mitglied der Hanse und ein Zentrum der Buchdruckerkunst. 1506 wurde eine Universität gegründet. Heinrich von Kleist wurde hier geboren. Im 2. Weltkrieg wurde Frankfurt schwer zerstört, der Wiederaufbau erfolgte in der tristen DDR-Bauweise mit Fertigteilen aus Betonplatten.

Eisenhüttenstadt (52 000 Einwohner) galt als die ,,erste sozialistische Stadt der DDR''. Ab 1950 wurden hier ein riesiges Eisenhüttenkombinat und Wohnsiedlungen errichtet. Von 1953 bis 1961 trug die Stadt an der Oder den Namen ,,Stalinstadt''.

Rathenow (32 000 Einwohner) hatte seit 1295 Stadtrechte. Die Stadt an der Havel, zu Zeiten des ,,Soldatenkönigs'' Friedrich Wilhelm I. auch Militärstandort, ist heute ein Zentrum der optischen Industrie.

Neuruppin (27 000) Einwohner) ist der Geburtsort des märkischen Dichters Theodor Fontane und des klassizistischen Baumeisters Karl Friedrich Schinkel. Nach einem Großbrand im Jahre 1787 wurde Neuruppin im frühklassizistischen Stil wieder aufgebaut.

Lübbenau (21 000 Einwohner) ist der Ausgangspunkt für Touren in den idyllischen Spreewald. Die Stadt ist ein Zentrum des Gemüseanbaus, wird aber auch geprägt vom Braunkohleabbau in der näheren Umgebung.

Geschichte

Ins Licht der Geschichte trat Brandenburg im Winter 928/29, als der deutsche König Heinrich I. die Grenzfestung Brandenburg an der Havel eroberte. Später wurden Bistümer wie Havelberg und Brandenburg gegründet. ,,Markgraf von Brandenburg" nannte sich seit 1144 der Askanierfürst Albrecht der Bär. Es entstanden zahlreiche Städte, und ab 1400 erhielt das Gebiet jenseits der Oder die Bezeichnung Neumark. Der Bereich jenseits der Elbe heißt Altmark, die Länder zwischen den Strömen werden Mittelmark genannt.

Nach dem Aussterben der Askanier 1319/20 übernahmen zunächst die bayerischen Wittelsbacher, danach die böhmischen Luxemburger die Herrschaft in der Mark Brandenburg. Im Zentrum der Interessen stand die Region nicht. Sie galt als die ,,Streusandbüchse des Heiligen Römischen Reiches Deutscher Nation". In der Mark wuchsen gerade mal Kiefern und andere genügsame Nutzpflanzen, die Siedlungen waren klein, das Wegenetz kaum ausgebaut. Fehderecht und Raubrittertum beherrschten das Land.

Erst 1415 kam Ordnung in das Gebiet. Ein Burggraf aus dem Haus Hohenzollern wurde Kurfürst von Brandenburg. Damit begann die 500jährige Herrschaft der Hohenzollern.

Brandenburg war die Keimzelle für den Aufstieg Preußens zur europäischen Großmacht. Die Doppelstadt Berlin-Coelln mußte sich im 15. Jahrhundert dem Kurfürsten beugen und wurde Residenz des Kurstaates.

Zielbewußt baute Brandenburg sein Territorium aus, gewann durch Erbschaft 1614 und 1618 Gebiete im Westen des Reichs sowie das Herzogtum Preußen im Osten, das alte Deutschordensland, hinzu.

Der 30jährige Krieg, der fast die Hälfte seiner Menschen dahinraffte, verwüstete Brandenburg. Der Westfälische Friede 1648 brachte dem Land aber erneut territorialen Zuwachs, die Mark Brandenburg war nur noch eine Provinz in dem wachsenden brandenburgisch-preußischen Staat.

Der Große Kurfürst führte das Land zu Wohlstand, baute ein stehendes Heer auf und besiegte die Großmacht Schweden in der Schlacht von Fehrbellin 1675. Preußen, bislang ein polnisches Lehen, wurde von Polen unabhängig. Es entstand der Friedrich-Wilhelm-Kanal zwischen Oder und Spree, die ersten „Industrie-Departements" wurden gegründet. 1701 krönte sich der Sohn des Großen Kurfürsten in Königsberg selbst zum König in Preußen.

Zum Inbegriff alles Preußischen wurde im 18. Jahrhundert Friedrich II., „der Große". Immanuel Kant nannte die Ära „das Jahrhundert Friedrichs". Entschlossen setzte Friedrich sein schlagkräftiges Heer zur Vergrößerung des Staates ein und gewann am Ende Schlesien und andere Territorien hinzu. Im Siebenjährigen Krieg von 1756 bis 1763 behauptete er sich mit Feldherrngenie (und mit Glück) gegen fast ganz Europa. Preußen hatte nun den Status einer Großmacht.

Innenpolitisch herrschte Friedrich im Geiste des aufgeklärten Absolutismus. Er förderte die Wirtschaft, die zusätzliche Impulse durch die preußische Toleranzpolitik erhielt. Glaubensflüchtlinge aus ganz Europa fanden hier eine neue Heimat.

Mit dem Bau von Schloß Sanssouci bei Potsdam setzte sich der auch musisch hochbegabte Friedrich ein Denkmal. Berlin und Potsdam galten als Zentren der Kultur und Wissenschaft von europäischem Rang.

Einen Tiefpunkt erlebte Preußen nach der Niederlage gegen Napoleon 1806. Das Land konzentrierte sich auf innere Reformen. 1815 entstand aus der Kurmark, Neumark und früheren sächsischen Gebieten die neue preußische Provinz Brandenburg. Die Altmark kam zur preußischen Provinz Sachsen.

Diese Grenzen blieben bis 1945 bestehen, mit einer Ausnahme: das stetig wachsende **Berlin**, seit 1871 Hauptstadt des Deutschen Reiches, wurde 1920 aus der Provinz Brandenburg herausgelöst und als „Groß-Berlin" selbständig.

Während sich Berlin in der zweiten Hälfte des 19. Jahrhunderts zur Weltstadt entwickelte, blieb die Mark Brandenburg in weiten Teilen ein beschauliches Land, in dem die Zeit stillzustehen schien. Herrenhäuser prägten das Land, die Gutsherren behielten bis 1872 die Polizeigewalt.

Berlin (früher Ost): Unter den Linden

Nach 1933 wurde Brandenburg bei der Machtübernahme durch Adolf Hitler gleichgeschaltet und im Zuge der Aufrüstung ein Zentrum für Rüstungsindustrie, Kasernen und Übungsgelände. Mehrere Konzentrationslager entstanden in der Mark.

1945 ist die Provinz in großen Teilen zerstört. Rund 30 Prozent des Territoriums, die östlich von Oder und Neiße gelegenen Kreise, verliert Brandenburg an Polen. Die sowjetische Besatzungsmacht formt aus dem Rumpfland eine ,,Provinz Mark Brandenburg''. Bei den Landtagswahlen im Oktober 1946 erhalten die SED 43,5 Prozent der Stimmen, die CDU 30,3 und die LDPD 20,5 Prozent.

Mit dem Alliierten Kontrollratsgesetz Nr. 46 vom 25. Februar 1947 wird der Staat Preußen für aufgelöst erklärt. Die Provinz heißt künftig ,,Land Mark Brandenburg''. Fünf Jahre später, 1952, werden aus dem Land die DDR-Bezirke Frankfurt/Oder, Cottbus und Potsdam gebildet.

1990 ersteht das Land wieder, zur Hauptstadt wird Potsdam erklärt. Ob Brandenburg auf Dauer ein selbständiges

Bundesland bleibt oder sich später einmal mit dem Bundesland Berlin zusammenschließt, werden erst die nächsten Jahre zeigen.

Das neue Wappen des Landes Brandenburg nimmt mit dem roten Adler ein altes Motiv wieder auf. Der rote Adler im weißen Feld ist das historische Wappen der Mark Brandenburg. Während der preußischen Zeit war der Adler schwarz.

Brandenburg

Menschen und Landschaften

Mit seinen ,,Wanderungen durch die Mark Brandenburg'' hat Theodor Fontane seine Heimat vielen Menschen nähergebracht. Darin beschreibt er ausführlich den Spreewald, jene einzigartige 45 Kilometer lange und bis zu zehn Kilometern breite Flußlandschaft nordwestlich von Cottbus. Unzählige Wasserarme und Kanäle durchziehen den Spreewald mit seinen Streusiedlungen. Besucher erschließen das Gebiet mit dem Paddelboot oder mit einheimischen Bootsleuten, die mit ihren Kähnen durch die Flußlandschaft staken.

Im Spreewald wird hauptsächlich Gemüse angebaut. Brandenburg ist in vielen Teilen des Landes wie ein ,,Obstgarten'', etwa in der Havelniederung um Werder bei Potsdam. Der Oderbruch liefert Gemüse und Geflügel.

Die Mark ist das klassische Naherholungsgebiet für die Berliner. Den Ausflüglern bieten sich Segelfahrten auf den Potsdamer Seen an. Wanderer zieht es in die Ruppiner oder die Märkische Schweiz. Geschichte und Literatur sind überall gegenwärtig. Der Stechlinsee bei Rheinsberg gab einem großen Roman Fontanes den Namen, und im Städtchen Rheinsberg selbst wohnte Friedrich der Große in glücklichen Jugendzeiten in einem barocken Wasserschlößchen. Zu den späteren Besuchern zählte Kurt Tucholsky, der seiner ,,Sommerliebe'' mit der Erzählung ,,Rheinsberg'' ein literarisches Denkmal setzte.

Brandenburg bietet dem Besucher viele Ziele. Da lockt bei Cottbus Schloß Branitz mit dem Landschaftspark. In Neuruppin, der Geburtsstadt des Baumeisters Karl Friedrich Schinkel und Theodor Fontanes, beeindruckt das frühklassizistische Stadtbild. Die Klosterkirche von Chorin gilt als eindrucksvollstes Werk der märkischen Backsteingotik.

Die alte Preußenresidenz Potsdam ist der von Touristen am häufigsten besuchte Ort in Brandenburg. Als größte Attraktion gilt das 1747 eingeweihte Schloß mit dem 290 Hektar großen Schloßpark von Sanssouci. Bildergalerie, Neues Palais, Belvedere, Orangerie oder Chinesisches Teehaus — vieles ist sehenswert.

Berlin mit seiner typischen Lebensart und Sprache hat die umliegende Mark nachhaltig geformt. Noch vor hundert Jahren wurde auf dem Land Plattdeutsch gesprochen, was aber bis heute immer mehr abnahm. Der Berliner Stadtdialekt setzte sich durch — mit seinen slawischen, jüdischen und französischen Sprachelementen, auch mit dem näselnden Offiziersjargon.

Der typische Brandenburger, sofern es ihn gibt, gilt als wortkarg und mit rauher Schale versehen. Wenn er spricht, so die landläufige Meinung, kann er bisweilen schlagfertig sein und trockenen Humor beweisen. Als preußisches Erbe zählen Fleiß, Bescheidenheit und Pflichtbewußtsein.

Im südlichen Teil der Mark Brandenburg, in Spreewald und Lausitz, hat sich dennoch über die Jahrhunderte hinweg eine Minderheit gehalten, die nicht in der deutschsprachigen Umwelt aufging: die slawischen Sorben, früher auch Wenden genannt. Etwa 50 000 bis 100 000 Menschen sprechen heute noch sorbisch, fast alle beherrschen aber auch die deutsche Sprache. Die Sorben pflegen ihre eigene Sprache, tragen ihre Trachten und bewahren mit ihren Festen die Tradition.

Idylle im Spreewald

Wirtschaft

Schon im vorigen Jahrhundert hat die Ausstrahlung Berlins das wirtschaftliche Geschehen in Brandenburg bestimmt. Rund um die Hauptstadt entstanden kleinere Wirtschaftszentren, vor allem mit Zulieferbetrieben. Trotz aller Beschaulichkeit hatten schon die preußischen Könige ein leistungsfähiges Straßennetz und ein Kanalsystem geschaffen sowie die ansässigen Manufakturen gefördert.

Erzvorkommen und reiche Holzvorräte sorgten für Aufschwung in Bergbau und Metallurgie. Als die Erzlager erschöpft waren, wurde auf die Verarbeitung von Schrott umgestellt. So entstanden Stahl- und Walzwerke, die die Automobilfabriken und Lokomotivwerke der Region belieferten.

Die Industrie ist auch heute in Brandenburg der dominierende Sektor. Rund 33,4 Prozent der über 1,3 Millionen Erwerbstätigen sind in der Industrie beschäftigt.

An zweiter Stelle rangiert aber schon die Land- und Forstwirtschaft mit über 15 Prozent der Beschäftigten. Brandenburg war stets ein Lieferant von Agrarprodukten. Das reicht von den Teltower Rübchen über Spreewälder Gurken und Obst aus Werder bis hin zum Tabak. Heute herrscht in der Landwirtschaft der Anbau von Kartoffeln, Zuckerrüben und Getreide vor. Hinzu kommen Viehzucht und Waldwirtschaft.

Nach 1945 hat die DDR-Führung Brandenburg durch den Bau von Großbetrieben und die Entwicklung neuer Industriestandorte zum Teil intensiv industrialisiert.

Schwedt an der Oder wurde zu einem Zentrum der Petrochemie. Das Rohöl kam über eine Pipeline aus der Sowjetunion. Eisenhüttenstadt wurde Stahlstandort. In großem Maßstab wurde der Braunkohletagebau ausgeweitet. Zu DDR-Zeiten war Braunkohle der wichtigste Energieträger. Zwei Drittel der in der DDR erzeugten Energie kamen zuletzt aus dem Bezirk Cottbus. Ein Viertel des Metallurgiebedarfs der DDR wurde in Eisenhüttenstadt, Hennigsdorf bei Berlin und in der Stadt Brandenburg gedeckt.

Viele der gewaltigen Industriekomplexe arbeiteten, nach westlichen Maßstäben betrachtet, von Anfang an unrentabel. Die Anlagen sind heute veraltet − die Folge sind Stillegungen aus wirtschaftlichen, aber auch aus ökologischen Gründen. Das Land steht vor einem schwierigen Prozeß der Umstrukturierung.

Das neue Land

Brandenburg bildet unter den fünf neuen Bundesländern eine Ausnahme: hier hat sich 1990 die SPD als stärkste politische Kraft etabliert. Sie stellt mit *Manfred Stolpe* auch den neuen Ministerpräsidenten.

Bei den Volkskammerwahlen im März 1990 sah es noch anders aus. Damals erreichte die CDU 33,6 Prozent der Stimmen, während die SPD nur auf 29,9 Prozent kam. Die PDS

*Ministerpräsident
von Brandenburg:
Manfred Stolpe
(SPD)*

war mit 18,3 Prozent recht stark, die Grünen kamen auf 5,4 Punkte.

Bei der Landtagswahl am 14. Oktober 1990 aber wurde die SPD mit 38,3 Prozent weitaus stärkste Partei. Die CDU kam nur noch auf 29,4 Prozent. Die FDP schaffte mit 6,6 Prozent den Sprung in den Landtag, die Bürgerbewegung ,,Bündnis '90'' mit 9,2 Prozent ebenfalls. Die PDS fiel auf 13,4 Prozent.

Der Brandenburger Landtag hat 88 Sitze. Davon entfielen auf die SPD 36, die CDU 27, die PDS 13, das ,,Bündnis'90'' 6 und die FDP ebenfalls 6.

Die Folge dieses Wahlergebnisses war eine Koalition von SPD, FDP und ,,Bündnis '90''. Sechs Minister stellt die SPD, je zwei wurden den beiden kleinen Partnern zugestanden. In Anspielung auf die Parteifarben rot, gelb und grün erhielt das Bündnis auch den Namen ,,Ampelkoalition''.

Vier der zehn brandenburgischen Minister kommen aus dem Westen der Bundesrepublik. Kabinettschef ist *Manfred Stolpe* (SPD), als Innenminister fungiert *Alwin Ziel* (SPD). Finanzminister wurde *Klaus-Dieter Kühbacher* (SPD), als Ju-

19

stizminister und Bevollmächtigter des Landes beim Bund wurde der parteilose *Hans-Otto Bräutigam* vereidigt. Wirtschaftsminister ist *Walter Hirche* (FDP), das Ministerium für Arbeit und Soziales leitet *Regine Hildebrandt* (SPD). Landwirtschaftsminister ist *Edwin Zimmermann* (SPD), das Ministerium für Wissenschaft führt *Hinrich Enderlein* (FDP). Minister für Stadtentwicklung und Verkehr wurde *Jochen Wolf* (SPD). Ministerin für Bildung, Jugend und Sport ist *Marianne Birthler* (Bündnis '90), als Umweltminister amtiert *Matthias Platzek* (Bündnis '90).

Die Landtagswahl war offenbar doch stark durch die Persönlichkeit des SPD-Spitzenkandidaten Manfred Stolpe geprägt worden. Bei der Bundestagswahl am 2. Dezember 1990 erreichte die CDU mit 36,3 Prozent wieder das beste Ergebnis. Die SPD erhielt 32,9 Prozent der Stimmen, die PDS 11 Prozent, die FDP 9,7 Prozent und Bündnis '90/Grüne sanken auf 6,6 Prozent ab.

Ein vorrangiges Ziel der Landesregierung ist die Sicherung der Arbeitsplätze, der Aus- und Umbau der bisherigen Industriestandorte und die Ansiedlung neuer Betriebe. Geplant wird auch eine Landesuniversität.

Außerdem strebt Brandenburg eine enge Kooperation mit dem Bundesland **Berlin** an, das mit den Wahlen zum Gesamtberliner Parlament am 2. Dezember 1990 die Integration Ostberlins vorläufig abgeschlossen hat.

Bei diesen Wahlen wurde die CDU mit 40,3 Prozent wieder die stärkste Partei. Die SPD fiel auf 30,5 Prozent zurück. Ferner erhielten die PDS 9,2 Prozent, die FDP 7,1 Prozent und Grüne/Alternative Liste 5 Prozent der Stimmen. Bündnis '90/Grüne erreichten nur 4,4 Prozent, kamen aber ins Landesparlament, weil sie in Ostberlin die 5-Prozent-Hürde überspringen konnten.

Ministerpräsident *Stolpe* hält es für sinnvoll, ,,daß Berlin erst einmal zusammenwächst und Brandenburg wieder ein homogenes Land wird". In vier, fünf Jahren könnte nach Stolpes Ansicht ein Zusammenschluß der Länder Brandenburg und Berlin jedoch ernsthaft erwogen werden.

Bis dahin gilt eine „Gemeinsame Erklärung", die Berlin und Brandenburg verabschiedet haben. Sie wollen zusammenwirken, um die „wirtschaftliche, ökologische, kulturelle und soziale Entwicklung beider Länder zu fördern sowie im Wettbewerb der europäischen Regionen zu bestehen".

Mecklenburg-Vorpommern

Zahlen und Fakten

Mecklenburg-Vorpommern ist mit 23 838 km² das zweitgrößte der fünf neuen Bundesländer. Mit rund 80 Einwoh-

Das Schweriner Schloß

21

nern pro km^2 ist es das am dünnsten besiedelte Land in der ehemaligen DDR. Rund 1,96 Millionen Menschen leben zwischen der unteren Elbe im Westen und dem Odertal im Osten.

Mecklenburg ist ein Land der weitläufigen Agrarflächen, der Mecklenburger Seenplatte mit ihren 650 Seen und einer langen Ostseeküste. Die größten Inseln sind Rügen (926,4 km^2) und Usedom (445 km^2), das zu einem Drittel unter polnischer Verwaltung steht.

Rostock ist mit rund 250 000 Einwohnern die größte Stadt des Landes. Die alte Hansestadt wurde 1957 bis 1960 zu einem bedeutenden Hafen ausgebaut und galt in der alten DDR als ,,Tor zur Welt''. Rostock verfügt über eine Universität sowie zahlreiche Hoch- und Fachschulen. Die Wirtschaft wird von Werften und der Fischverarbeitung geprägt. Vom Vorort Warnemünde aus gibt es eine Eisenbahnfähre nach Dänemark.

Schwerin ist die neue Landeshauptstadt. Schon früher war Schwerin mit heute 130 000 Einwohnern Haupt- und Residenzstadt in Mecklenburg. Ein Glanzpunkt im Kern der Stadt ist die Schloßinsel mit dem von 1843 bis 1847 im Stil der Neorenaissance umgebauten Schloß. Im Zuge der Industrialisierung entstanden neue Wohnviertel wie der Große Dreesch, eine Siedlung in Plattenbauweise, die ursprünglich für 60 000 Menschen konzipiert war.

Neubrandenburg (85 000 Einwohner) wurde schon 1248 gegründet. Das alte Handwerks- und Handelszentrum wurde im 2. Weltkrieg fast völlig zerstört. Erhalten blieb der historische, 2,3 Kilometer lange Mauerring um die Altstadt. Das wirtschaftliche Geschehen prägen heute die Lebensmittelherstellung, Reifenproduktion und die Baustoffindustrie.

Stralsund (75 000 Einwohner) war seit 1293 Hansestadt. Von 1648 bis 1815 stand Stralsund unter schwedischer Herrschaft. 1936 wurde die Insel Rügen durch den Rügendamm mit der Stadt verbunden. Stralsund hat einen Seehafen, dazu Werften und Firmen der Bauwirtschaft. Bemerkenswert ist die Altstadt, in der über 400 Objekte unter Denkmalschutz

Kernkraftwerk Greifswald – Lubmin

stehen. Mit einem staatlichen Notprogramm soll dort der bauliche Verfall aufgehalten werden.

In **Greifswald** (65 000 Einwohner) wurde bereits 1456 eine Universität gegründet, die sich zum geistigen Zentrum Pommerns entwickelte. Von 1648 bis 1815 war auch Greifswald fest in schwedischer Hand. Zur Stadt gehören heute Fachschulen und Forschungsinstitute, Betriebe der Metallverarbeitung und Lebensmittelindustrie. In Lubmin am Greifswalder Bodden liegt das größte Kernkraftwerk der ehemaligen DDR, das wegen seiner Störanfälligkeit stillgelegt wurde.

Wismar (59 000 Einwohner) wurde 1229 gegründet und war bis 1358 Hauptstadt Mecklenburgs. Die alte Hansestadt besitzt einen großen Seehafen, der auf den Umschlag von Stück- und Schüttgut spezialisiert ist.

Saßnitz (15 000 Einwohner) ist die nördlichste Stadt der Insel Rügen und seit 1909 Fährhafen für den Eisenbahn-Fährverkehr nach Schweden.

Geschichte

Seinen Namen hat Mecklenburg wahrscheinlich von der „Mikilinborg", der „großen Burg" des Slawenfürsten Niklot aus dem 12. Jahrhundert erhalten. Sein Sohn Pribislaw versöhnte sich 1167 mit dem Sachsenherzog Heinrich dem Löwen und wurde zum Stammvater des mecklenburgischen Herrscherhauses. Es regierte bis 1918.

Im 13. Jahrhundert entstanden viele mecklenburgische Städte, für die die gotischen Kirchen aus rotem Backstein bezeichnend sind. Unter der Führung Lübecker Kaufleute schlossen sich die Küstenorte Wismar, Rostock, Stralsund und Greifswald zum Wendischen Kontor der Hanse zusammen. In ihrer Blütezeit war die Hanse eine Großmacht in Nordeuropa.

Einen geschichtlichen Einschnitt bedeutete das Jahr 1648. Mit dem Friedensschluß nach dem 30jährigen Krieg annektierte Schweden für viele Jahrzehnte fast die gesamte Küstenregion. Im Landesinneren gab es ab 1701 zwei Fürstentümer: Mecklenburg-Schwerin und Mecklenburg-Strelitz. Der östliche Teil des Landes, Pommern, wurde von Preußen verwaltet.

Die Länder im Norden gerieten in den Windschatten der Entwicklung. Länger als anderswo (bis 1820) konnten mecklenburgische Ritter ihre Bauern als Leibeigene ausbeuten. Es galt die angeblich gottgewollte Ordnung. Mecklenburg blieb über die Jahrhunderte hin ein Agrarland. Eisenbahn und Industrie kamen erst mit Verspätung. Reichskanzler Bismarck wird die Bemerkung zugeschrieben, wenn die Welt unterginge, würde er nach Mecklenburg ziehen, denn dort werde der Weltuntergang hundert Jahre später stattfinden.

Mecklenburg blieb bis 1918 Ständestaat und hatte im Gegensatz zu allen anderen deutschen Staaten keine Verfassung. Die Novemberrevolution 1918 beendete die Fürstenherrschaft. Mecklenburg-Strelitz und Mecklenburg-Schwerin gehörten nun als parlamentarisch-demokratisch regierte Länder zum Deutschen Reich.

Die Nationalsozialisten vereinigten die beiden Länder 1934. 1945 trafen sich amerikanische, britische und sowjetische Truppen auf der Linie Wismar-Schwerin-Ludwigslust. Vom 1. Juli 1945 an fällt ganz Mecklenburg unter sowjetische Militärherrschaft. Im Osten kommt der größere Teil Vorpommerns zu Mecklenburg, der kleinere Teil geht an Polen.

Bei den halbwegs freien Wahlen im Oktober 1946 erhält die SED 49,5 Prozent der Stimmen — das beste Ergebnis in der sowjetisch besetzten Zone. Die CDU kommt auf 34,1 und die LDPD auf 12,5 Prozent. 1952 wird Mecklenburg wie alle anderen DDR-Länder in Bezirke aufgeteilt (Schwerin, Rostock und Neubrandenburg). Nach der Revolution 1990 wird bald deutlich, daß die Bevölkerung die Rückkehr zum Land Mecklenburg wünscht. Nach längerem Streit wird Schwerin als Landeshauptstadt bestimmt, während Rostock nicht zum Zuge kommt.

Der gekrönte Stierkopf und der Greif sind die Motive des neuen Landeswappens. In Mecklenburg dominierte ab dem 13. Jahrhundert der Stierkopf, während die Fürsten in Pommern die Greifenverehrung kultivierten. Sie nannten sich das „Greifengeschlecht".

Mecklenburg-Vorpommern

Menschen und Landschaften

Die Mecklenburger gelten als wortkarge, verschlossene, wenn nicht sogar sture Menschen. In diesen Wertungen mischen sich Klischees und ein Körnchen Wahrheit. Das weite Land mit seinen Seen und Wäldern, mit Mooren und Heide hat die Menschen geprägt. Bisweilen stimmt das melancholisch. Die Hektik der großen Städte liegt dem Mecklenburger nicht. Wenn sie von ihrem Land sprechen, dehnen sie das „e" und sagen „Meeeklenburg". Wer nicht so spricht, wird als Fremder erkannt und zunächst etwas reserviert aufgenommen.

Das kann sich aber rasch ändern. Etwa in den Badeorten der Ostseeküste, wo zwischen Mai und September zuletzt fast vier Millionen Menschen pro Jahr Erholung am Strand suchten. Die größten Ferienorte sind dann hoffnungslos überlaufen − ob in Binz, Sellin und Göhren auf Rügen, Heringsdorf und Ahlbeck auf Usedom, Wustrow und Ahrenshoop im Fischland oder in Warnemünde, Boltenhagen oder Kühlungsborn. Hinzu kommt Heiligendamm, das älteste, 1793 gegründete deutsche Seebad. Ein beliebtes Ziel ist auch Hiddensee, das um die Jahrhundertwende schon Künstler und Wissenschaftler anzog. Der Dichter Gerhart Hauptmann besaß dort ein Haus und ist auf dem Friedhof der Insel begraben. Etwas ruhiger geht es im Sommer an den Seen Mecklenburgs zu. Doch auch dort sind die Campingplätze vor allem am Müritzsee überbelegt. Das Ostufer der Müritz steht seit 1949 unter Naturschutz. Es ist das größte Naturschutzgebiet Deutschlands und soll jetzt zum Nationalpark erklärt werden.

Mecklenburg bietet auch dem kulturell Interessierten eine Vielzahl von Zielen. Einen Besuch lohnt das Atelierhaus Ernst Barlachs in Güstrow, wo viele seiner Großplastiken entstanden sind. Die große Attraktion des Doms zu Güstrow ist der Engel, der die Gesichtszüge der Künstlerin Käthe Kollwitz trägt.

Der Maler Caspar David Friedrich stammt aus Greifswald. Seine Gemälde der Kreidefelsen auf Rügen und des Hafens von Greifswald machten seine Heimatstadt weltbekannt. Denkmäler oder Gedenkstätten erinnern an bedeutende Zeitgenossen, die in Mecklenburg oder Vorpommern geboren wurden: das reicht vom Schriftsteller Ernst Moritz Arndt, dem Altertumsforscher Heinrich Schliemann, dem Homer-Übersetzer Johann Heinrich Voss über den Komponisten Friedrich von Flotow bis hin zum Flugpionier Otto Lilienthal.

Eine besondere Ehre wurde dem großen mecklenburgischen Mundartdichter Fritz Reuter zuteil: seine Geburtsstadt Stavenhagen erhielt 1949 den Zusatz ,,Reuterstadt''.

Landschaft bei Ueckermünde

Die früheren Herrscher des Landes und die reichen Kaufleute der mächtigen Hansestädte haben der Nachwelt viele prächtige Bauten hinterlassen. Beeindruckend ist das Münster in Bad Doberan aus dem 13./14. Jahrhundert. Zu den sehenswerten Renaissancebauten Norddeutschlands gehört das 1558 fertiggestellte Schloß von Güstrow. Steinerne Zeugen einer großen Vergangenheit sind auch das Rathaus, die Nikolai- und die St. Marienkirche in Stralsund.

Wirtschaft

Wälder, Wiesen, Felder und Wasser – Mecklenburg wird von der Landwirtschaft und vom Fischfang geprägt. Gut jeder Fünfte im Land verdient sein Geld in der Landwirtschaft. An der industriellen Produktion der DDR war Mecklenburg nur mit rund sieben Prozent beteiligt.

Nach der Kollektivierung der Landwirtschaft durch die SED bewirtschafteten die „Landwirtschaftlichen Produk-

27

tionsgenossenschaften" (LPG) und die „Volkseigenen Güter" (VEG) das Land. Viele dieser Betriebe sind 4 000 bis 5 000 Hektar groß; angebaut werden vor allem Getreide, Kartoffeln und Rüben. Ein wichtiger Bereich ist die Viehwirtschaft. Zahlreiche Firmen verarbeiten die Rohprodukte zu Lebensmitteln.

An der Küste hat sich eine Werft- und Schiffbauindustrie entwickelt, die zumindest im Wirtschaftsraum des Ostblocks eine starke Stellung innehatte. Die Standorte sind Rostock, Wismar, Stralsund und Wolgast. Laut DDR-Statistik wurden dort 1989 37 Schiffe neu gebaut. Hauptabnehmer der Frachtschiffe und Fischereifahrzeuge war die Sowjetunion.

Ob Landwirtschaft, Schiffbau, Fischfang oder Lebensmittel – in allen Sektoren wird sich die Wirtschaft gesundschrumpfen und neu orientieren müssen.

Die Landwirtschaft, nun eingebunden in den EG-Rahmen, kämpft mit Absatzproblemen. Der Schiffbau sucht sich angesichts der harten internationalen Konkurrenz neue Tätigkeitsfelder. So wollen die Ostsee-Werften künftig verstärkt Reparaturaufträge annehmen und Schiffe neu ausrüsten.

Die neue Landesregierung setzt auf die Ansiedlung vieler kleiner, mittelständischer Betriebe. Gesucht wird die „sanfte Industrie", die in das beschauliche Land mit seinen großen Regionen unzerstörter Natur paßt.

Doch auch in Mecklenburg-Vorpommern ist die Natur nicht mehr überall heil. Die industrielle Großflächenwirtschaft mit ihrem massiven Einsatz von Düngemitteln hat zu einer Überdüngung der Seen geführt. Viele Landstriche sind biologisch verarmt.

Die unzähligen Zeugnisse der großen Kulturgeschichte des Landes – von den Kirchen über die Herrenhäuser bis zu den Schlössern – sind fast alle sanierungsreif.

Landschaft und Kultur sind jedoch ein Pfund, mit dem Mecklenburg wuchern will. Der Fremdenverkehr könnte sich als ein zukunftsträchtiger Wirtschaftszweig erweisen. Für die Mecklenburgische Seenplatte ist bereits ein Fremdenverkehrs-

Hafen von Warnemünde/Rostock

konzept erarbeitet worden. Dabei sollen attraktive touristische Strukturen geschaffen werden, die gleichwohl nicht die
Schönheit und Stille der Landschaft beeinträchtigen.

High-Tech-Industrie ist für Mecklenburg noch ein Fremd-
wort. Das war nicht immer so. Das kleine Dorf Peenemünde
auf der Ostseeinsel Usedom steht für den Beginn des Rake-
tenzeitalters. Hier startete am 13. August 1942 die A 4, die
erste Großrakete der Welt. Gebaut wurde sie von einem Team
um den Physiker Wernher von Braun. Die Rakete diente in
erster Linie Adolf Hitlers militärischen Zielen, doch nachts,
erklärte Braun später, habe man nur über die Eroberung des
Weltalls nachgedacht.

Das neue Land

Ausgewogene Kräfteverhältnisse kennzeichnen die politische Landschaft Mecklenburgs seit den ersten Landtagswahlen am 14. Oktober 1990. Einer Koalition von CDU und FDP steht eine praktisch gleich starke Opposition gegenüber.

Die CDU wurde am 14. Oktober mit 38,3 Prozent der Stimmen stärkste Partei. Die SPD kam auf 27 Prozent, die PDS auf 15,7 Prozent. Die FDP erreichte 5,5 Prozent der Wählerstimmen, während alle anderen Gruppierungen an der 5-Prozent-Klausel scheiterten.

Die 66 Landtagsmandate verteilen sich dementsprechend wie folgt: CDU 29, SPD 20, PDS 12, FDP 4, 1 Parteiloser.

Bei der Volkskammerwahl im März 1990 lauteten die Ergebnisse: CDU 36,3 Prozent, SPD 23,4 Prozent, PDS 22,8 Prozent und FDP 3,6 Prozent.

Bei der Bundestagswahl am 2. Dezember 1990 konnte die CDU ihr Ergebnis weiter auf 41,2 Prozent verbessern. Die SPD erhielt 26,6 Prozent der Stimmen, die FDP 9,1 Prozent, Bündnis '90/Grüne 5,9 Prozent und PDS 14,2 Prozent.

Im neuen Landtag verfügt die CDU/FDP-Koalition über 33 von 66 Mandaten. Eine regierungsfähige Mehrheit erhielt sie durch den Austritt des Landtagsabgeordneten *Wolfgang Schulz* aus der SPD. Zusammen mit dem jetzt parteilosen Abgeordneten hat die Koalition 34 Stimmen.

Erster Ministerpräsident des Landes ist der frühere Universitätsdozent *Alfred Gomolka* (CDU). Das Innenressort leitet *Georg Diederich*, Ministerin für Umwelt ist *Petra Uhlmann*, als Landwirtschaftsminister fungiert *Martin Brick*. Justizminister ist *Ulrich Born, Oswald Wutzke* leitet das Kultusministerium, Finanzministerin ist *Bärbel Kleedehn* (alle CDU). Die FDP stellt mit *Conrad-Michael Lehment* den Wirtschafts- und mit *Klaus Gollert* den Sozialminister. Der Abgeordnete *Wolfgang Schulz* ist Bürgerbeauftragter des Landes und nimmt an allen Kabinettssitzungen mit beratender Stimme teil.

*Ministerpräsident
von Mecklenburg-
Vorpommern:
Dr. Alfred Gomolka
(CDU)*

Basis für Parlament und Regierung in Vorpommern ist ein vorläufiges Landesstatut. Das Land, so erklärte Ministerpräsident *Gomolka* bei der Vorstellung seines Regierungsprogramms, werde eine besondere Rolle als ,,Tor zum Norden und Bindeglied zum Osten'' spielen.

Sachsen

Zahlen und Fakten

Mit rund 4,9 Millionen Einwohnern (267 je km²) ist Sachsen das bevölkerungsreichste und am dichtesten besiedelte neue Bundesland. Es umfaßt eine Fläche von nur 18 337 km². Sachsen ist das industrielle Herz Mitteldeutschlands: hier wurde zu DDR-Zeiten ein Drittel des gesamten Bruttosozialprodukts erwirtschaftet.

Landschaftlich wird Sachsen im Süden vom Erzgebirge geprägt, das die natürliche Grenze zu Böhmen bildet. Das Erzgebirge ist rund 140 Kilometer lang und 30 bis 40 Kilometer breit. Im sächsischen Südwesten grenzt das Vogtland an Bayern, nach Osten hin setzen sich die Oberlausitz und ein kleines Stück des ehemaligen Schlesien zur polnischen Grenze an der Neiße hin fort. Beherrschender Fluß des Landes ist die Elbe, die Sachsen von Süden nach Norden durchfließt. Zu den malerischsten Gebirgen Europas gehört das Elbsandsteingebirge.

Mit Leipzig, Dresden und Chemnitz gehören allein drei große, bedeutende Städte Mitteldeutschlands zu Sachsen.

Leipzig hat rund 530 000 Einwohner und spielt seit 1165 eine gewichtige Rolle, als ihm die Stadtrechte verliehen wurden. Mit der Leipziger Messe war die Stadt in der SED-Ära zeitweilig ein ,,Schaufenster der DDR''. Leipzig war früher der bedeutendste deutsche Handelsplatz, dazu ein Zentrum

Leipzig: die Messe mit dem Völkerschlachtdenkmal im Hintergrund

Chemnitz: Museum, Oper und Petrikirche im August 1990

des Verlagswesens und der Pelzverarbeitung. Heute ist Leipzig Universitätsstadt, sehenswert sind der Kopfbahnhof mit seinen 26 Parallelgleisen und das monumentale Völkerschlachtdenkmal, das an Napoleons Niederlage 1813 erinnert.

Dresden zählt rund 500 000 Einwohner und ist die alte und neue Hauptstadt Sachsens. Der glanzvolle Städtebau des Barock trug Dresden die Bezeichnung ,,Elbflorenz'' ein. Viele der barocken Bauten sind rekonstruiert worden. Dresden ist heute Sitz mehrerer Hochschulen und ein wichtiges Industriezentrum für Elektronik und Optik.

Chemnitz (301 000 Einwohner) hieß von 1953 bis 1990 Karl-Marx-Stadt. Nach der Revolution stimmte eine überwältigende Mehrheit der Bürger für den alten Stadtnamen. Im frühen 19. Jahrhundert wurde Chemnitz als Metropole der Textilindustrie zum ,,sächsischen Manchester''. Heute prägen auch Maschinenbau sowie die Technische Hochschule und Forschungsinstitute die Stadt.

Plauen (74 000 Einwohner) ist das Zentrum des Vogtlandes. Im Mittelalter war Plauen ein Fernhandelsplatz und be-

rühmt als Tuchmacherstadt. Später wurden hier Baumwoll-
gewebe und Stickereien (,,Plauener Spitzen'') produziert.
Heute dominieren Maschinenbau, Feinmechanik und Elektrotechnik.

Freiberg (50 000 Einwohner) ist eine alte Bergmannsstadt.
Seit 1765 gibt es die Bergakademie. Heute noch werden Bunt-
metalle abgebaut.

Bautzen (52 000 Einwohner) in der Oberlausitz ist das kulturelle Zentrum der Minderheit der Sorben. Der Ort, früher
berüchtigt durch ein Gefängnis für politische Gefangene, be-
sticht durch sein schönes, altes Stadtbild.

Meißen (45 000 Einwohner) ist seit 1710 Sitz der weltbe-
kannten sächsischen Porzellanmanufaktur.

Geschichte

In der Geschichtsschreibung tauchte Sachsen erstmals mit der
Person König Heinrichs I. auf, der als erster sächsischer Herrscher von 919 bis 936 die deutsche Königskrone trug. Aus
dem heutigen Harz drang Heinrich nach Osten vor und setzte
in Meißen an der Elbe Markgrafen ein. In der Folge besie-
delten Bauern aus Thüringen und Franken die unzugängli-
che, aber fruchtbare Gegend. Die ortsansässigen Slawen wurden christianisiert.

1423 wurde das Herzogtum Sachsen mit der Kurwürde be-
lehnt und gehörte unter dem Haus der Wettiner zu den füh-
renden Kräften im Reich. 1485 wurde das Land geteilt, die
Brüder Ernst (,,Ernestiner'') und Albrecht (,,Albertiner'') regierten die sächsischen Landesteile. Wittenberg, die Residenz
der Ernestiner, wurde zum Ausgangspunkt der Reformation
Martin Luthers. Später begann auch die albertinische Region
lutherisch zu werden. Nach einer Reihe von Kriegen erreichte
Sachsen unter Kurfürst August dem Starken (1694 – 1733, ab
1697 auch König von Polen) einen Höhepunkt. Kurfürst
Friedrich August II. baute seine Hauptstadt Dresden zu ei-

nem kulturellen Zentrum von europäischem Rang aus. Im 18. Jahrhundert galt Sachsen als ein Land mit bedeutenden Impulsen für das kulturelle Leben. 1781 fand in Leipzig das erste Gewandhauskonzert statt, außerdem entwickelt sich die Stadt zum Mittelpunkt des deutschen Buchhandels.

Politisch geriet Sachsen aber in den Schatten Preußens, das auf dem Weg zur Großmacht war. Sachsen stand immer auf der Seite der Verlierer. So im siebenjährigen Krieg (1756 bis 1763) gegen Preußen, in den napoleonischen Kriegen an der Seite Frankreichs und im preußisch-österreichischen Krieg 1866 als Alliierter Österreichs. 1806 wurde Sachsen zwar Königreich, doch mußte es 1815 fast drei Fünftel seines Gebiets und fast die Hälfte der Bevölkerung an Preußen abtreten. Sachsen in den Umrissen von 1815 entspricht etwa dem heutigen Land.

Dafür setzte in Sachsen die Industrialisierung besonders intensiv ein. Sachsen entwickelte sich zu einer Hochburg der Arbeiterbewegung. 1863 wurde in Leipzig der SPD-Vorläufer „Allgemeiner Deutscher Arbeiterverein" von Ferdinand Lassalle gegründet. In Sachsen wählte man mit August Bebel den ersten sozialdemokratischen Reichstagsabgeordneten. Seit 1871 war Sachsen Teil des Deutschen Reiches, bis 1914 wurde es das am dichtesten bevölkerte Land Europas. Am Ende des ersten Weltkriegs rief man 1918 in Dresden den Freistaat Sachsen aus. „Dann macht euren Dreck alleene", soll Sachsens letzter König, der durchaus beliebte Friedrich August III., bei der erzwungenen Abdankung gesagt haben.

Im Dritten Reich wurde Sachsen ab 1933 wie die anderen Länder „gleichgeschaltet". Gegen Ende des 2. Weltkriegs, im Februar 1945, erlebte Dresden ein Inferno: die mit Flüchtlingen überfüllte Stadt wurde bei alliierten Bombenangriffen fast völlig zerstört; es gab über 35 000 Todesopfer.

Nach der Kapitulation Deutschlands fällt ganz Sachsen zur sowjetischen Besatzungszone, erweitert um das zuvor schlesische Gebiet um Görlitz. Bei den Landtagswahlen 1946 erhält die SED 49,1 Prozent der Stimmen, die liberale LDPD

24,8 Prozent und die CDU 23,3 Prozent. Die SED ist in der gesamten sowjetischen Zone aus der Zwangsvereinigung zwischen der demokratischen SPD und der kommunistischen KPD hervorgegangen. 1952 wird auch das Land Sachsen geteilt: die Bezirke Dresden, Leipzig und Chemnitz entstehen. 1953 wird Chemnitz in Karl-Marx-Stadt umbenannt.

Unter dem SED-Regime entwickelt sich eine spezifische Abneigung bis Feindschaft zwischen Sachsen und Ostberlin. Walter Ulbricht, der erste Generalsekretär der SED, bevölkert die ,,Hauptstadt der DDR'' mit tausenden, willfährigen Genossen aus dem Süden. In den Kommandozentralen wird gesächselt und weltweit gilt das sächsische Idiom als DDR-typisch. Das sorgt in Berlin für böses Blut. Umgekehrt verübeln es die Sachsen der Zentrale im Norden, daß Ostberlin zur Vorzeigestadt der DDR ausgebaut wird, während in Leipzig oder Dresden ganze Stadtviertel verfallen.

Nicht ohne Grund werden die sächsischen Großstädte im Herbst 1989 zu Zentren des gewaltlosen Widerstands gegen die SED-Führung in Ostberlin. Zum Ausgangspunkt der schon legendären Montagsdemonstrationen werden die seit 1981 in der Leipziger Nikolaikirche gehaltenen Friedensgebete. ,,Wir sind das Volk'' heißt es auf den Straßen und Plätzen in Sachsen – im November 1989 bricht die SED-Herrschaft zusammen. Die Wiederherstellung des Freistaats Sachsen mit dem Gesetz vom 22. Juli 1990 erfüllt den Wunsch einer breiten Bevölkerung.

Sachsen

Das neue Landeswappen enthält einige historische Elemente. So führten schon die Askanier als Herzöge von Sachsen die schwarz-gelben Querteilungen im Wappen. Das Grün der Rauten war die Lieblingsfarbe der sächsischen Dynastie Wettin.

Menschen und Landschaften

„Die Sachsen" als einheitlichen Volksstamm gibt es nicht, sondern nur eine Vielzahl von Stämmen und Minderheiten. Das reicht von den Menschen in der Oberlausitz über die „Residenz-Sachsen" rund um Dresden, die Volksgruppe der Sorben, die Bewohner der Industriegebiete in Chemnitz und Zwickau und das Leipziger Areal bis hin zum Vogtland. Die Mundarten sind ebenso unterschiedlich wie die Mentalitäten. Früher hieß es über die drei größten Städte: in Chemnitz wird gearbeitet, in Leipzig gehandelt und in Dresden gelebt.

Verbunden werden die Sachsen gemeinhin mit Eigenschaften wie tolerant bis duldsam, fleißig, pfiffig. Nicht überall geschätzt wird der sächsische Dialekt, doch die Sachsen wissen es zu ertragen. Über ihre Sprache befand der österreichische Dichter Franz Grillparzer: „Sie ist unmännlich, geckenhaft, wie von und für Kopflose." Gern vergessen wird dabei, daß Luther bei seiner Bibelübersetzung auf das Meißner Kanzleisächsisch zurückgriff. Lange galt eine sächsische Färbung der Sprache als vornehm, zumal ja Sachsen ein Land der Bildung und der Kunst war.

Musiker wie Johann Sebastian Bach aus Leipzig oder Robert Schumann aus Zwickau fanden in Sachsen gute Arbeitsbedingungen. Lucas Cranach d. Ä. war als Hofmaler im sächsischen Wittenberg der bedeutendste Porträtist der Reformationszeit. Ohne den Schutz des sächsischen Kurfürsten hätte Luther seine Reformation nicht vorantreiben können. Aus Sachsen stammen Dichter wie Christian Fürchtegott Gellert, Gotthold Ephraim Lessing, Johann Gottfried Seume, Theodor Körner oder Friedrich von Hardenberg (Novalis).

Es gibt viele berühmte Sachsen: So der Chemnitzer Arzt und Bürgermeister Georgius Agricola (1494 – 1555), der das Berg- und Hüttenwesen modernisierte, oder sein Zeitgenosse Adam Riese, ein Meister der Rechenkunst. Die Sächsin Caroline Neuberin reformierte das deutsche Theater, der Orgelbauer Gottfried Silbermann schuf unübertroffene Instrumente. Der Dresdner Hofkapellmeister Carl Maria von Weber schuf mit dem ,,Freischütz`` ein Hauptwerk der deutschen Romantik. Richard Wagner feierte in seiner Dresdner Zeit mit den Uraufführungen der Opern ,,Rienzi``, ,,Der Fliegende Holländer`` und ,,Tannhäuser`` Triumphe. Eine große musikalische Tradition führen die Kantoren des Thomaner-Chors in Leipzig und des Dresdner Kreuzchors bis heute weiter. 1905 wurde in Dresden die ,,Brücke`` gebildet, eine Künstlervereinigung, die dem Expressionismus den Weg ebnete. Aus Sachsen stammen der Zeichner Heinrich Zille, die Maler Otto Dix, Karl Schmidt-Rottluff, Emil Nolde und Max Pechstein.

Sachsen bietet einige hochkarätige Reiseziele. Für den Kunstfreund steht Dresden an erster Stelle, wo das legendäre ,,Elbflorenz`` allerdings mittlerweile versunken ist. Immerhin sind der weltberühmte Zwinger und die Semperoper wiedererstanden, die Museen und Sammlungen Dresdens beherbergen unermeßlichen Reichtum. Mit Schiffen der ,,Weißen Flotte`` können zwölf Kilometer elbaufwärts Schloß und Park Pillnitz erreicht werden, die Sommerresidenz der sächsischen

Der Zwinger in Dresden, Juni 1990: Restaurierungsarbeiten am Kronentor

Schloß Pillnitz an der Elbe

Könige. Bergsteiger und Kletterer finden im Elbsandsteingebirge anspruchsvolle Wände und Zinnen, im vogtländischen
,,Musikwinkel'' bei Klingenthal und Markneunkirchen lassen sich Instrumentenbauer bei der Arbeit zusehen.

Im Erzgebirge sind die Spielzeugmacher zu Hause. Hier
entstehen hölzerne Nußknacker und Räuchermännchen. Ein
landschaftlich reizvolles Refugium sind die niederschlesischen
Regionen Sachsens mit den alten Städten Zittau, Görlitz und
Bautzen.

Als lebendigste Stadt Sachsens präsentiert sich die Messe-
metropole Leipzig, nicht nur zu den Messewochen im Früh-
jahr und Herbst. Leipzig und sein Großraum stehen aber auch
für die massiven Umweltprobleme, die Sachsen bewältigen
muß. Der großflächige Braunkohleabbau und die Verfeue-
rung dieses schwefelhaltigen Energieträgers haben zu schweren Schäden geführt. Südlich von Leipzig erinnern weitläu-
fige Abbaugebiete an eine Mondlandschaft, die Luft ist hoch-

belastet mit Schwefeldioxid und Staub. Auf dem Kamm des Erzgebirges drohen fast alle Bäume den Industrieabgasen zum Opfer zu fallen, und der Uranbergbau in Wismut hat enorme Strahlenschäden verursacht.

Doch die Verantwortlichen handeln bereits. Das Braunkohlezentrum Espenhain, berüchtigt als ,,Europas größte Giftschleuder'', soll bis Herbst 1991 stillgelegt werden. Leipzig erhält Kläranlagen zur Entlastung der Elbe, in Pirna wurde die umweltbelastende Viskoseproduktion eingestellt. Saniert werden müssen viele heruntergekommene Wohngebiete in den Städten. Vom Verfall bedroht sind historische Zentren wie in Meißen. Für ihre Rettung sollen Sonderprogramme sorgen.

Wirtschaft

,,Dieser Teil unseres Landes wird der dynamischste, kreativste und effektivste werden'' – mit diesen Worten warb kurz nach der Wende der frühere Oberbürgermeister von Dresden, Wolfgang Berghofer, für Sachsen. Sein Optimismus ist nicht

Braunkohletagebau und Kraftwerk in Espenhain, Juni 1990

Zwickau, Juni 1990, im Trabiwerk „Sachsenring“:
Der Trabant (im Hintergrund) weicht dem VW-Polo

unberechtigt, denn Sachsen werden von allen neuen Bundesländern die besten wirtschaftlichen Aussichten vorausgesagt. Sächsischer Geschäftssinn und Unternehmergeist sind auch über vier Jahrzehnte Planwirtschaft nicht ganz verschwunden. Sachsen ist das am stärksten industrialisierte Land der ehemaligen DDR. Von den über 2,5 Millionen Erwerbstätigen sind rund 44 Prozent in der Industrie und nur gut sieben Prozent in der Landwirtschaft tätig.

Die vier größten und traditionsreichsten sächsischen Wirtschaftszweige sind Maschinenbau, optische Industrie, Textilwirtschaft und Fahrzeugbau. In der DDR-Ära kam die Mikroelektronik hinzu.

Die Tradition: in Sachsen gab es beispielsweise ab 1932 die große Automobilfirma Auto-Union, deren Luxuswagen der Marke „Horch“ Mercedes weit hinter sich ließen. Heute werden in Zwickau der „Trabant“, in Zschopau Motorräder, in Görlitz Waggons und in Zittau Lastwagen gebaut. Viele Produkte werden nicht mehr konkurrenzfähig sein, doch neue

Chancen eröffnen sich durch Umstrukturierung und Kooperation mit Partnern aus dem Westen der Bundesrepublik.

Andere Firmen wie das Druckmaschinenwerk „Planeta" müssen sich dagegen kaum Sorgen machen; ihre Erzeugnisse hatten schon vor 1989 einen guten Ruf auf dem Weltmarkt. Wenig Aussichten haben dagegen Industriezweige wie Feinmechanik und Optik. Auch die „Vorzeigekombinate" wie das Mikroelektronikunternehmen „Robotron" in Dresden kämpfen ums Überleben. Und der Messeplatz Leipzig sucht eine neue Rolle in der internationalen, scharfen Konkurrenz der europäischen Messestädte.

Die sächsische Wirtschaft bietet also ein gemischtes Bild. Der Optimismus stützt sich vor allem auf den Mittelstand, der schon früher Sachsen prägte. Bei den Handwerkern haben sogar die Innungen den DDR-Sozialismus überstanden. Es liegt an den Menschen, ihre wirtschaftliche Lage zu ändern: in Sachsen sind sie motiviert, mutig und gut ausgebildet. Die Wiederbelebung der Wirtschaft ist auch für den neuen sächsischen Ministerpräsidenten Kurt Biedenkopf „Dreh- und Angelpunkt" seiner Regierungspolitik.

Erste Beispiele ermutigen ihn. So hat der Gemeinderat der kleinen Ortschaft Kesseldorf, die zwischen Dresden und Freiberg liegt, ein neues Gewerbegebiet für Investoren freigegeben. Allein nach Kesseldorf sollen bis 1994 rund 1,5 Milliarden Mark an Investitionen fließen und 10 000 neue Arbeitsplätze entstehen.

Das neue Land

Vom „roten Sachsen", wie das Land angesichts einer starken SPD vor 1933 genannt wurde, ist 1990 nichts mehr zu spüren. Im Gegenteil: nirgendwo sonst in der ehemaligen DDR ist die Dominanz der bürgerlichen Parteien ausgeprägter.

Bei den Volkskammerwahlen im März 1990 erreichte die CDU 43,4 Prozent der Stimmen, die DSU als bürgerliche Par-

*Ministerpräsident
von Sachsen:
Professor Dr.
Kurt Biedenkopf
(CDU)*

tei des rechten Flügels kam auf 13,1 Prozent. Die SPD wurde in ihrer einstigen Hochburg nur noch von 15,1 Prozent der Wähler favorisiert. Die PDS wurde von 13,6 Prozent der Bürger gewählt, die FDP hatte ein Wahlergebnis von 5,7 Prozent.

Bei den Landtagswahlen am 14. Oktober 1990 gelang es der CDU, die meisten Stimmen aus dem konservativen Lager auf sich zu vereinigen. Sie erreichte mit 53,8 Prozent die absolute Mehrheit, während die DSU mit 3,6 Prozent an der 5-Prozent-Hürde scheiterte. Die SPD legte auf 19,1 Prozent zu, die PDS sank auf 10,2 Prozent, die FDP fiel auf 5,3 Prozent. Den Sprung in den neuen Landtag schafften auch die Grünen mit 5,6 Prozent.

Die 160 Sitze des sächsischen Landtages verteilen sich demnach wie folgt: CDU 92, SPD 32, PDS 17, Bündnis '90/ Grüne 10, FDP 9.

Bei den Bundestagswahlen am 2. Dezember 1990 ging der Stimmenanteil der CDU etwas zurück auf 49,5 Prozent, die SPD sank auf 18,2 Prozent ab. Gewinner war die FDP, die 12,4 Prozent der Stimmen errang. Auf die PDS entfielen 9 Prozent, auf Bündnis '90/Grüne 5,9 Prozent.

Mit dem Wahlsieg vom 14. Oktober war klar, daß die CDU in der Landeshauptstadt Dresden alleine die Regierungsverantwortung übernimmt. Ministerpräsident wurde Prof. Dr. *Kurt Biedenkopf*, ein führender Politiker der West-CDU. Schon lange vor seiner Nominierung hatte sich der Wirtschaftswissenschaftler in Sachsen freiwillig engagiert: als Professor in Leipzig.

Im Kabinett Biedenkopf wurde *Rudolf Krause* Innenminister. Chef der Staatskanzlei ist *Arnold Vaatz,* für Wirtschaft und Arbeit ist *Kajo Schommer* zuständig. Das Finanzressort hat *Georg Milbradt* übernommen, für Umwelt und Landesplanung ist *Karl Weise* zuständig. Landwirtschaftsminister ist *Rolf Jähnichen,* Minister für Soziales, Gesundheit und Familie ist *Hans Geisler,* Ministerin für Schule, Jugend und Sport ist *Stefanie Rehm,* das Ressort für Wissenschaft leitet *Hans-Joachim Meyer.* Der parteilose *Steffen Heitmann* ist Justizminister. Alle anderen Kabinettsmitglieder gehören der CDU an.

Ministerpräsident *Kurt Biedenkopf* hat sich schon im Westen einen Namen als bisweilen unbequemer „Querdenker" erworben. In Sachsen ist er auf breite Resonanz und einen hohen Vertrauensvorschuß gestoßen. Für die Zukunft setzt der Ministerpräsident auf solidarische Beiträge aus der westlichen Bundesrepublik, ist doch für ihn der Wiederaufbau im Osten „eine Gemeinschaftsaufgabe aller Deutschen".

Sachsen-Anhalt

Zahlen und Fakten

Sachsen-Anhalt zählt rund 2,96 Millionen Menschen auf 20 445 km². In den nördlichen Regionen prägen Landwirtschaft und Dörfer das Land, im Süden sind es dichtbesiedelte Industriegebiete. Zu DDR-Zeiten kamen über 22 Prozent der Industrieproduktion aus Sachsen-Anhalt.

Das Land reicht von der Altmark, die im Norden an Niedersachsen grenzt, über die fruchtbare Magdeburger Börde und den Harz bis hin zu den Industrierevieren um Halle und Bitterfeld.

Magdeburg (288 000 Einwohner) ist die zweitgrößte Stadt des Landes. Nach heftigen Auseinandersetzungen mit Halle wurde Magdeburg Landeshauptstadt von Sachsen-Anhalt. Mit dem erstmals 805 erwähnten Magdeburg sind bedeutsame Daten deutscher Geschichte verbunden. Seit 968 Sitz eines Erzbistums, wurde die Stadt ab 1524 Vorreiterin der Reformation. Im 30jährigen Krieg ging Magdeburg 1631 in Flammen auf. Im 13. Jahrhundert erlebte die Stadt, ein wichtiges Mitglied der Hanse, ihre kulturelle Hochblüte. Der Dom war die erste deutsche gotische Kathedrale, das Magdeburger Stadtrecht war das am weitesten verbreitete in Deutschland. Eine zweite verheerende Zerstörung erlebte die Stadt im Bombenhagel des 2. Weltkriegs. Heute ist Magdeburg ein wichtiger Industriestandort. Seit 1938 ist Magdeburg an den Mittellandkanal angeschlossen. Die Stadt ist Sitz einer Technischen Universität und einer Medizinischen Akademie.

Halle (321 000 Einwohner) ist die größte Stadt des Landes. Schon 961 als Stadt bezeichnet, wurde Halle im Mittelalter durch die Salzgewinnung reich. Eine Universität wurde 1694 gegründet, ebenfalls wie 1878 die ,,Leopoldina'', die Deutsche Akademie der Naturforscher. Ein prominenter Hallenser der Neuzeit, Hans-Dietrich Genscher, kam als Außenminister der Bundesrepublik mit dem Aufbruch im Osten in seine Heimatstadt. Halle an der Saale ist eine Industriestadt, seit 1963 wurden in Halle-Neustadt neue Wohnungen für rund 100 000 Menschen errichtet.

Dessau (101 000 Einwohner) war lange Zeit die Residenzstadt des Fürsten- und Herzogtums Anhalt. Unter der Leitung von Walter Gropius setzte das Dessauer ,,Bauhaus'' ab

1925 weltweit Maßstäbe für Architektur und angewandte Kunst. 1945 wurde Dessau durch Luftangriffe zu 85 Prozent zerstört. Das ,,Bauhaus'' wurde zwar beschädigt, die Bauhaus-Siedlung blieb jedoch erhalten. Früher war Dessau Sitz der Junkers-Flugzeugwerke, heute werden hier Waggons, Elektromotoren und Ausrüstungen für die chemische Industrie hergestellt.

Wittenberg (54 000 Einwohner) ist die ,,Lutherstadt''. Hier begann 1517 die Reformation, als Luther seine 95 Thesen an die Pforte der Schloßkirche angeschlagen haben soll. Zur Reformationszeit wirkten hier Cranach und Melanchthon. Wittenberg besitzt zahlreiche Luthergedenkstätten. Die Wirtschaft konzentriert sich auf die Produktion von Düngemitteln, Eisen und Gummi.

Stendal (50 000 Einwohner) ist die größte Stadt der Altmark. Um 1165 gegründet, war Stendal von 1359 bis 1518 Mitglied der Hanse. Vor dem Rathaus steht der steinerne Roland. Die Figur von 1525 wurde bei einem Sturm 1972 zerstört und durch eine Kopie ersetzt. Stendal, in dessen Nähe das gleichnamige Kernkraftwerk gebaut werden soll, ist ein Zentrum des Maschinenbaus, der Lebensmittelindustrie und der Erdgasförderung. In Stendal wurde der Begründer der Archäologie, Johann Joachim Winckelmann, im Jahre 1717 geboren. Ihm zu Ehren nannte sich der französische Schriftsteller Henri Beyle ,,Stendhal''.

Geschichte

Sachsen-Anhalt ist das Bundesland mit der kürzesten geschichtlichen Tradition. Es ist eine Nachkriegsschöpfung, die lediglich von 1945 bis 1952 existierte, um dann 1990 wiederzuerstehen.

Sachsen-Anhalt hat daher keine einheitliche Geschichte. Im Norden war die Altmark über lange Jahrhunderte unter brandenburgischem Einfluß. Im Süden und Osten dominierte

Sachsen. Die längste territoriale Tradition hat Anhalt. Das Land entstand 1212 unter den askanischen Fürsten und erlebte immer wieder Teilungen und Vereinigungen. Anfang des 17. Jahrhunderts bildeten sich die kleinen Fürstentümer Anhalt-Bernburg, Anhalt-Köthen, Anhalt-Zerbst und Anhalt-Dessau heraus.

Ein Machtfaktor waren die Länder kaum, dafür entfalteten sie eine kulturelle Blüte. Bach komponierte seine ,,Brandenburgischen Konzerte'' für den Hof von Anhalt-Köthen. In Dessau wurde die Musterschule ,,Philanthropin'' gegründet; sie ist ein Anfangspunkt der modernen Pädagogik. Vor der Ära der Klassik in Weimar war Dessau bereits mit seiner Baukunst und den Landschaftsgärten von Wörlitz ein Zentrum deutscher Kultur. Leopold I. von Anhalt-Dessau ging als ,,Alter Dessauer'' in die Geschichte ein — er galt um 1700 als einer der bedeutendsten Feldherren und Mitschöpfer des preußischen Heeres. Aus der Linie Anhalt-Zerbst stammte die russische Zarin Katharina die Große.

In ganz Anhalt lebten um 1818 rund 122 000 Menschen, 1939 waren es dann 430 000. Nach der Revolution 1918 war Anhalt in der Weimarer Republik ein Freistaat. Die Nazis unterstellten Anhalt 1933 gemeinsam mit Braunschweig einem Reichsstatthalter.

Eine gewisse staatliche Tradition hat auch der sächsische Teil des Landes. Nach dem Wiener Kongreß 1815, der Europa nach der Niederlage Napoleons neu ordnete, erhielt Preußen große Gebiete des Königreichs Sachsen. Sachsen-Wittenberg, die Altmark, Magdeburg, Halberstadt und andere Gebiete bildeten die neue preußische Provinz Sachsen.

Die Provinz nahm im 19. Jahrhundert einen wirtschaftlichen Aufschwung. Die Magdeburger Börde galt als eine Kornkammer Deutschlands. Magdeburg wurde zum Zentrum des deutschen Zuckerhandels, es entstand eine breite Nahrungs- und Genußmittelindustrie. Um Halle und Bitterfeld baute man Braunkohle ab, dazu Stein- und Kalisalz. Die reichen Bodenschätze förderten die Entwicklung der jungen chemischen Industrie, die in den Räumen um Halle, Bitterfeld, Wolfen und Leuna entstand. Die Einwohnerzahl der Provinz stieg von 1,2 Millionen im Jahr 1816 auf 3,6 Millionen im Jahr 1939.

Die mitteldeutschen Industriegebiete waren in der Weimarer Zeit Schauplatz heftiger politischer Auseinandersetzungen. In Magdeburg wurde 1918 der rechtsextreme Frontkämpferbund ,,Stahlhelm'' gegründet. Ebenfalls in Magdeburg bildete sich 1924 das sozialdemokratische ,,Reichsbanner Schwarz-Rot-Gold'', das die Weimarer Demokratie verteidigen wollte. 1933 wurde auch die Provinz Sachsen gleichgeschaltet.

Im Mai 1945 standen die Amerikaner im Westen Sachsens, doch vom 1. Juli 1945 an gehört das Land vereinbarungsgemäß zur sowjetischen Besatzungszone.

Die sowjetische Militäradministration bildet zunächst 1945 eine ,,Provinz Sachsen'', nach der Landtagswahl 1946 wird die Umbenennung in ,,Provinz Sachsen-Anhalt'' beschlossen.

Bei diesen Wahlen erhält die SED 45,8 Prozent, die LDPD 29,9 Prozent und die CDU 21,9 Prozent der Stimmen. 1947 beschließen die Siegermächte die endgültige Liquidierung Preußens und begründen das ,,Land Sachsen-Anhalt''. Schon 1952 aber wird es wieder aufgelöst und in die Bezirke Halle und Magdeburg aufgeteilt.

Sachsen-Anhalt

1990 wird das Land wieder gebildet, wobei der Kreis Artern zum Land Thüringen kommt, während der Kreis Jessen Sachsen-Anhalt zugeschlagen wird.

Das neue Landeswappen zeigt einen geteilten Schild. Der obere Teil, goldschwarz gestreift, wird von einem grünen Rautenkranz durchzogen. Rechts oben ist ein schwarzer, goldbewehrter Adler auf silbernem Grund eingefügt. Im unteren Teil schreitet ein schwarzer Bär vor silbernem Grund auf einer roten Zinnenmauer.

Menschen und Landschaften

Als junges staatliches Gebilde verfügt Sachsen-Anhalt auch nicht über eine typische Bevölkerung. Es gibt starke Bindungen an die engere Heimat, es gibt die Altmärker und Mansfelder, die Menschen aus dem Harz und aus Halle.

Der normale Bewohner Halles ist ein Hallenser. Exklusiver sind die ,,Halloren'', die Nachfahren der städtischen Salzsieder. Zwar wurde 1964 die Salzproduktion in Halle eingestellt, doch immer noch sind die Halloren etwas Besonderes: mit eigenen Bräuchen und Trachten. Hochzeiten untereinander werden gerne gesehen.

Halle ist nur ein Beispiel für die Vielfalt und Individualität in Sachsen-Anhalt. In der Altmark haben berühmte Bierbrauer eine große Tradition, im Harz übt man sich in der Zucht von Kanarienvögeln. Rund um den Brocken sind die zahlreichen Sagen und Veranstaltungen angesiedelt, die mit dem Hexenglauben in Zusammenhang stehen. Im Mansfelder Land sind noch viele Bergmannsbräuche lebendig.

Auch die Sprache ist nicht einheitlich. Durch das Gebiet an der mittleren Elbe verläuft die Sprachgrenze zwischen dem niederdeutschen und dem mitteldeutschen Sprachraum.

Sachsen-Anhalt ist ein Land der Kontraste: das reicht vom schönen Fachwerkensemble im Harz-Städtchen Wernigerode über den Wörlitzer Park, einem der schönsten in Europa, bis hin zur Industriestadt Bitterfeld, der vielleicht ,,schmutzigsten Stadt Europas''.

Sachsen-Anhalt ist aber auch eine alte deutsche Kulturlandschaft mit bemerkenswerten Zeugnissen. Aus romanischer Zeit stammen das Kloster Jerichow und die Quedlinburger Stiftskirche. Der 1210 begonnene Naumburger Dom St. Peter und Paul markiert die gotische Architektur. Die Stifterfiguren Uta und Ekkehard zählen zu den eindrucksvollsten Plastiken deutscher Kulturgeschichte.

Zur gleichen Zeit wurden die Dome von Magdeburg und Halberstadt errichtet. In der Marienkapelle des Halberstädter Doms und im Dom zu Stendal sind spätgotische Glasfenster von hohem künstlerischem Wert erhalten geblieben.

Die „deutsche Renaissance" ist in Sachsen-Anhalt mit zahlreichen prächtigen Profanbauten präsent. Ein Beispiel dafür ist Wittenbergs Rathaus. Die klassizistischen Schlösser und Tempel im Garten von Dessau-Wörlitz rufen heute noch Bewunderung hervor. Dessau blieb in der Architektur weiter bahnbrechend, nachdem Walter Gropius 1925 zusammen mit anderen Künstlern und Architekten von Weimar hierher übersiedelte. Nach Plänen der Bauhaus-Gruppe entstand unter anderem das städtische Wohnviertel Törten, das als beispielhaft für moderne Architektur gilt.

Zur kulturellen Tradition des Landes gehört auch der „Sachsenspiegel", das bedeutendste Rechtsbuch des Mittelalters. Ritter Eike von Repgow verfaßte es auf Burg Falkenstein im Ostharz. Im Volksbuch über Till Eulenspiegel spielen viele Geschichten in der Gegend um Magdeburg, Eisleben und Halberstadt.

Die Musik und Sachsen-Anhalt: Georg Friedrich Händel wurde in Halle geboren, Georg Philipp Telemann in Magdeburg, Johann Sebastian Bach in Köthen. Dessau brachte in diesem Jahrhundert mit Kurt Weill einen Komponisten von Weltruf hervor.

Der Physiker Otto von Guericke entdeckte in Magdeburg, wo er auch Bürgermeister war, das Prinzip der Luftpumpe. In Quedlinburg am Fuß des Harzes wurde der Dichter Klopstock geboren. Auch die erste deutsche Ärztin stammt aus Sachsen-Anhalt. Dorothea Christiana Erxleben promovierte 1754 an der Universität Halle.

Sachsen-Anhalt ist kein klassisches Touristenland. Aber es bietet viele interessante Ziele. Der Brocken, der 1142 Meter hohe Harzgipfel, wird seit der Wiedervereinigung nahezu überlaufen. Seit dem Mittelalter beschäftigt der „Blocksberg" die Phantasie der Menschen. Vom „Hexentanzplatz" aus sollen sich der Legende nach zur Walpurgisnacht allerlei Fabelwesen zur Reise Richtung Blocksberg versammeln.

*Die Bronzestatue
des Komponisten
Georg Friedrich Händel
auf dem historischen
Marktplatz
in Halle*

Im Harz finden sich sehenswerte alte Städte wie Wernigerode, Blankenburg und Quedlinburg. Eisleben ist die Geburtsstadt Martin Luthers. Zum Wandern lädt die unberührte Natur ein. In der ,,Goldenen Aue``, einem fruchtbaren Landstrich zwischen Harz und Kyffhäusergebirge, ist ein künstlicher See zu einem beliebten Naherholungsziel der Menschen im Industrierevier Halle geworden.

Weitere Ziele sind das monumentale Kyffhäuserdenkmal oder das neue Museum bei Bad Frankenhausen mit dem Kolossalgemälde von Werner Tübke über den Bauernkrieg. In Tangermünde an der Elbe ist die mittelalterliche Stadtmauer aus roten Backsteinen erhalten geblieben. Das kleine Rathaus von Tangermünde gehört zu den schönsten Zeugnissen norddeutscher Backsteingotik.

Wirtschaft

Industrie sowie Land- und Forstwirtschaft dominieren das wirtschaftliche Leben Sachsen-Anhalts. Von den rund 1,56 Millionen Erwerbstätigen sind rund 39 Prozent in der Industrie tätig, über 12 Prozent in Land- und Forstwirtschaft.

Auf über 12 Millionen Hektar landwirtschaftlicher Nutzfläche sind an die 900 Großbetriebe tätig, die sich auf Pflanzenproduktion oder Tierhaltung spezialisiert haben. Felder und Weiden in der Altmark, in der Magdeburger Börde, im nördlichen und südlichen Harzvorland und im Raum um Köthen dehnen sich aus, soweit das Auge reicht. Auf Lößboden höchster Qualität werden vor allem Zuckerrüben, Weizen und Gerste angebaut.

Die Vorkommen an Braunkohle, Salzen, Kalk und Gips haben vor allem im ehemaligen Bezirk Halle die Industriestruktur bestimmt. Hier war der bedeutendste Standort der DDR für die chemische Industrie, die Baumaterialindustrie und die Metallurgie. Lange basierte die chemische Industrie auf der Verarbeitung von Braunkohle. Später wurden Erdöl- und Erdgasleitungen in die Sowjetunion gebaut, doch aus Kostengründen stellte die Industrie ihre Rohstoffbasis nur teilweise um.

Nicht nur Großbetriebe bestimmen das Bild der landwirtschaftlich geprägten Gegenden in Sachsen-Anhalt: Ein ,,Kleintransporter'' in Eichenwarleben bei Magdeburg

Überall in der ehemaligen DDR ist die Bausubstanz verkommen: Wohnhäuser in der Magdeburger Innenstadt, über 100 Jahre alt; viele Wohnungen hinter den dunklen Fassaden sind unbewohnt

Heute sind die Chemie- und Braunkohlezentren um Halle, Bitterfeld, Wolfen und Merseburg nicht nur wirtschaftliche Sorgenkinder, sondern auch ökologische Notstandsgebiete. Die Anlagen sind völlig veraltet. Die Luft, der Boden und das Wasser sind hochbelastet. Die Flüsse Saale und Mulde sind nach jahrelanger Einleitung ungeklärter Abwässer biologisch praktisch tot.

Die Sanierung der industriellen „Altlasten" wird viele Milliarden Mark kosten. Die unumgängliche Stillegung veralteter, unrentabler und umweltbelastender Anlagen und Fabriken schafft Massenarbeitslosigkeit. Düstere Aussichten auch im Mansfelder Land, wo die Vorkommen an Kupfer und anderen Buntmetallen erschöpft sind. Ertragreicher sind noch die Kalisalzgruben um Bernburg und im Tal der Unstrut. Kali wird in verschiedenen Betrieben des Landes zu Düngemitteln und Chemikalien veredelt. Auch Kalkstein von besonders guter Qualität findet Verwendung als Grundstoff für chemische Erzeugnisse. In der Altmark sind bei Salzwedel Erdgasvorkommen erschlossen worden. Magdeburg kämpft um seine Rolle als Standort des Maschinenbaus.

Die neue Landesregierung hofft auf die Ansiedlung neuer Industriebetriebe. Für Investoren wurde eigens eine zentrale Anlaufstelle bei der Regierung geschaffen. Wichtig ist auch eine bessere Infrastruktur, wobei das Land dem Bau und Ausbau leistungsfähiger Eisenbahnen den Vorrang gibt. So soll auch unter Umweltaspekten soviel Verkehr wie möglich von der Straße auf die Schiene verlagert werden. Investitionen zum Schutz der Umwelt sollen durch Steuervorteile und Fördermittel begünstigt werden. Mit einem Pilotprojekt zur Luftreinhaltung wird im Raum Halle-Bitterfeld-Merseburg begonnen.

Das neue Land

Sachsen-Anhalt wird seit der Landtagswahl am 14. Oktober 1990 von einer CDU/FDP-Koalition regiert. Dem Kabinett von Ministerpräsident *Gerd Gies* gehören vier Minister aus dem Westen der Bundesrepublik an. Stellvertretender Regierungschef und Minister für Bundes- und Europaangelegenheiten ist *Gerd Brunner* (FDP). Das Innenressort leitet *Wolfgang Braun* (CDU), das Finanzministerium *Werner Münch* (CDU). Minster für Wirtschaft, Technologie und Verkehr ist *Horst Rehberger* (FDP). Als Justizminister fungiert *Walter Remmers* (CDU), Minister für Arbeit und Soziales ist *Werner Schreiber* (CDU). Für Umwelt und Naturschutz ist *Wolfgang Rauls* (FDP) zuständig. Das Ministerium für Ernährung, Landwirtschaft und Forsten leitet *Otto Mintus* (CDU), verantwortlich für Bildung, Wissenschaft und Kultur ist *Werner Sobetzko* (CDU).

Bei den Wahlen am 14. Oktober 1990 wurde die CDU mit 39 Prozent der Wählerstimmen stärkste Partei. Die SPD kam

*Ministerpräsident
von Sachsen-Anhalt:
Gerd Gies
(CDU)*

auf 26 Prozent. Die FDP erreichte mit 13,5 Prozent in Sachsen-Anhalt ihr bei weitem bestes Ergebnis auf dem Gebiet der ehemaligen DDR. Die PDS holte 12 Prozent, die Grünen kamen auf 5,3 Prozent.

Daraus ergab sich folgende Mandatsverteilung für die insgesamt 106 Sitze des Landtags: CDU 48, SPD 27, FDP 14, PDS 12, Bündnis '90/Grüne 5.

Bei den Volkskammerwahlen im März 1990 war die CDU noch stärker: damals erreichte sie 44,5 Prozent, die SPD kam auf 23,5 Prozent, die FDP auf 7,5 Prozent, die PDS auf 14 Prozent.

Bei den Bundestagswahlen am 2. Dezember 1990 entfielen auf die CDU 38,6 Prozent der Stimmen und auf die SPD 24,7 Prozent. Die FDP konnte ihr gutes Ergebnis noch einmal steigern auf 19,7 Prozent, während die PDS auf 9,4 Prozent zurückfiel und Bündnis '90/Grüne 5,3 Prozent der Wählerstimmen erhielten.

Sitz der Landesregierung ist Magdeburg. Allerdings strebt die Regierung Gies eine ,,ausgewogene Verteilung der Behörden und der damit verbundenen Arbeitsplätze im Lande'' an.

Zunächst sollen unterhalb der Ebene der Landesregierung drei Regierungsbezirke — Magdeburg, Dessau und Halle/Merseburg — geschaffen werden. Nach der Schaffung von Kreis- und Gemeindeordnungen könnte dann wieder eine Landesverwaltung auf zwei Ebenen ausreichen. Wie in den anderen neuen Bundesländern gelten für kommunale Wahlen und lokale Politik in den Kreisen und Gemeinden nur vorläufige Regelungen.

Zu den wesentlichen Zielen der neuen Landesregierung gehört laut Ministerpräsident Gies ,,die Wiedergewinnung eines Heimat- und Zusammengehörigkeitsgefühls der Menschen in Sachsen-Anhalt und einer eigenen, unverwechselbaren Identität dieses Landes''.

Der Ministerpräsident von Sachsen-Anhalt und seine Staatskanzlei sind im ,,Palais am Fürstenwall'' in Magdeburg eingezogen. Dieser repräsentative Bau diente schon Kaiser Wilhelm II. als Residenz.

Thüringen

Zahlen und Fakten

Thüringen ist mit 16 251 km² das kleinste der fünf neuen Bundesländer. Rund 2,7 Millionen Menschen leben in einem Land, das von der Industrialisierung geprägt wurde, das aber einen 33-prozentigen Waldanteil besitzt und über fruchtbare Böden verfügt. Von altersher gilt Thüringen als „das grüne Herz Deutschlands".

Thüringen liegt im Zentrum der neuen Bundesrepublik. Es ist umgeben von den Bundesländern Hessen, Niedersachsen, Sachsen-Anhalt, Sachsen und Bayern.

Gegliedert wird die Landschaft vom schmalen Mittelgebirgskamm des Thüringer Waldes. Sein höchster Berg ist der Beerberg mit 982 Metern. Der Gebirgskamm verläuft von Nordwesten nach Südosten quer durch das Land. Im Westen steigt die Hochfläche des Meininger Landes zur Röhn an, im Osten dominiert die Ackerlandschaft des Thüringer Beckens.

In Thüringen existieren über 1600 Gemeinden, vom kleinen Weiler bis zur Großstadt. Kurz nach der Neugründung im Herbst 1990 wurde Thüringen noch etwas größer: die bisher zu den alten DDR-Bezirken Halle und Leipzig gehörenden Kreise Altenburg, Schmölln und Artern kamen nach Thüringen zurück.

Mit rund 217 000 Einwohnern ist **Erfurt** die größte Stadt des Landes und eine der ältesten Deutschlands überhaupt. 1992 wird Erfurt 1250 Jahre alt. Im ausgehenden Mittelalter war Erfurt eine der bedeutenden deutschen Handelsstädte, schon 1392 wurde hier eine Universität gegründet. Lange lebte Erfurt unter der Herrschaft der Mainzer Erzbischöfe, ehe es 1815 an Preußen fiel. Von 1950 bis 1952 war Erfurt Regierungssitz des Landes. Seit dem 18. Jahrhundert ist Erfurt durch den Handel mit Blumen und Sämereien ein Zentrum des Gartenbaus.

130 000 Einwohner zählt **Gera**, das bis 1918 Residenz des Fürstentums Reuß war. Gera ist der Eisenbahn- und Straßenknotenpunkt Ostthüringens.

Jena (106 000 Einwohner) steht für eine traditionsreiche Universität (1558 gegründet), aber auch für die renommierten Carl-Zeiss-Werke und die Glaswerke Schott.

In **Weimar** (61 000 Einwohner) verdichtet sich deutsche Geschichte, kulturell und politisch. Die frühere Residenz des Großherzogs von Sachsen-Weimar- Eisenach ist das Zentrum der deutschen Klassik. Hier lebten und wirkten Goethe, Schiller und Herder. ,,Wo finden Sie auf einem so engen Fleck noch so viel Gutes?'', fragte Goethe 1823 seinen Sekretär Eckermann. 1919 tagte die deutsche Nationalversammlung in dem Städtchen und beschloß die Weimarer Verfassung als Grundlage der Weimarer Republik von 1919 bis 1933. Weimar steht aber auch für eines der ersten Konzentrationslager, das die Nazis 1934 als KZ ,,Buchenwald'' errichteten.

Eine alte Residenzstadt ist **Gotha** (57 000 Einwohner), **Suhl** mit seinen 54 000 Einwohnern war im 16. Jahrhundert die größte Waffenschmiede Mitteleuropas. Auch heute werden hier Jagd- und Sportwaffen hergestellt.

Eisenach (51 000 Einwohner) hat eine große Tradition im Kraftfahrzeugbau. **Arnstadt** (30 000 Einwohner) wurde bereits 704 urkundlich erwähnt und ist damit der älteste Ort Mitteldeutschlands. **Ilmenau** (29 000 Einwohner) war zu Goethes Zeiten Bergbaustadt, heute ist es ein Zentrum der Thüringer Glasindustrie und verfügt über eine Technische Hochschule. Klein, aber im 19. Jahrhundert weltberühmt, war die Residenzstadt **Meiningen** (26 000 Einwohner). Das Hoftheater feierte als ,,die Meininger'' Triumphe auf Europas Bühnen.

Geschichte

Historisch wurzelt das Land im Königreich Thüringen, das etwa zwischen 400 und 531 zwischen Harz und dem Main be-

Das Nationaltheater in Weimar mit dem Goethe-Schiller-Denkmal: Hier trat am 25. Oktober 1990 als erstes Landesparlament der fünf neuen Bundesländer der Thüringer Landtag zusammen.

stand. Gegründet wurde es von den germanischen „Toringi". Franken und Sachsen lösten sich dann in der Herrschaft ab.

Das mittelalterliche Thüringen wurde durch die Thüringer Landgrafen geprägt, die von 1130 bis 1247 regierten. Ihr Stammsitz, die Wartburg oberhalb von Eisenach, war der Legende nach Schauplatz des „Sängerkriegs". Die berühmtesten Minnesänger des Mittelalters wetteiferten dort um Gunst und Preise.

Zu Zeiten des ludowingischen Hauses war Thüringen ein mächtiger Territorialstaat, der von der Lahn bis an die Saale reichte. Zu diesem Haus gehörte auch Landgräfin Elisabeth, die 1231 in Marburg starb, und später vom Papst wegen ihrer Mildtätigkeit heiliggesprochen wurde.

In der Wartburg konzentrierten sich 500 Jahre deutsche Geschichte. Martin Luther fand 1521 auf der Burg Zuflucht und übersetzte dort das Neue Testament aus dem Lateinischen

59

in verständliches Deutsch. Er begründete damit die einheitliche deutsche Sprache. Zum Symbol der deutschen Einheit wurde die Wartburg 1817, als Vertreter der studentischen Burschenschaften dort ein einiges Deutschland beschworen. Im Revolutionsjahr 1848 wehten auf der Veste schwarz-rotgoldene Fahnen, doch die Einheit sollte erst 1870/71 von Preußen her kommen.

Blenden wir kurz zurück: die Ludowinger starben aus, und in den Jahrhunderten danach zersplitterte Thüringen in immer kleinere und kleinste Fürstentümer. Im 19. Jahrhundert ähnelte Thüringen auf der Landkarte einem bunten Flickenteppich. 15 verschiedene Kleinstaaten mit über 100 Gebietsenklaven bildeten das Land. Der Freiherr Felix von Stein-Kochberg stellte 1867 sarkastisch fest, daß das ,,Thüringer Volk sich wohl fühlt in seiner Zersplitterung, bei Bratwurst und Bier über sein kleinstaatliches Elend scherzt, aber dasselbe über alles liebt''.

Unter den Regenten des 18. und 19. Jahrhunderts gab es bemerkenswerte Gestalten. Die Residenzen der kleinen Für-

Eisenach

Die Wartburg   Das Luther-Denkmal

stentümer förderten eine kulturelle Blüte, die auf ganz Deutschland ausstrahlte. Carl August von Weimar war der Freund und Dienstherr Goethes, Georg II. von Sachsen-Meiningen galt als einer der bedeutendsten Kunstmäzene des Jahrhunderts. Noch heute zehrt Thüringen von seinem goldenen Zeitalter: nirgendwo sonst gibt es eine solche Häufung von Theatern und Opernhäusern, von Orchestern und Museen.

Politisch spielte Thüringen im 19. Jahrhundert eine Rolle als Stammland der deutschen Sozialdemokratie. In Eisenach wurde 1869 die „Sozialdemokratische Arbeiterpartei" gegründet, in Gotha und Erfurt fanden später wegweisende Programmparteitage der SPD statt.

Nach dem 1. Weltkrieg dankten die Fürsten ab, und am 1. Mai 1920 wurde der Freistaat Thüringen mit der Hauptstadt Weimar gegründet. Erfurt blieb preußisch. 1933 verwandelten die Nationalsozialisten Thüringen in einen „Gau", dem sie in letzter Stunde – 1944 – noch die ehemals preußischen Gebiete um Erfurt hinzufügten.

Nach Kriegsende 1945 kam Thüringen zur sowjetischen Besatzungszone. Im berühmten Weimarer Hotel „Elephant" konstituierte sich am 21. November 1946 der Thüringer Landtag. Die Landtagswahlen kurz zuvor hatten einen Gleichstand zwischen der kommunistischen SED und den bürgerlichen Parteien CDU und LDP ergeben. Von Weimar aus gab es noch einmal Ansätze, die Verbindung zu den Westzonen nicht abreißen zu lassen, doch im Zuge des einsetzenden Ost-West-Konflikts hatten diese Ansätze bald keine Chancen mehr. 1948 gelangte noch Erfurt zu Hauptstadtehren, ehe die SED 1952 alle fünf Länder in der DDR zerschlug. Thüringen wurde in die drei Bezirke Erfurt, Gera und Suhl aufgeteilt.

Diese Gliederung blieb jedoch künstlich, denn im Bewußtsein der Bevölkerung blieb Thüringen als Land lebendig. Schon kurz nach der Revolution 1989 tauchte die Forderung auf, das Land in seiner hergebrachten Form wiedererstehen zu lassen. Ein Jahr später war es soweit.

Thüringen

Der Löwe und die Sterne sind die öfters wiederkehrenden Grundmotive in den thüringischen Wappen. Das Urwappen von Thüringen als der Landgrafschaft ist der silbern-rot quergestreifte Löwe, der auch heute noch das Wappen Hessens prägt (ein Teil Hessens gehörte im 12. und 13. Jahrhundert zur Landgrafschaft Thüringen). Der Freistaat Thüringen von 1920 gab sich am 7. April 1921 ein Wappen mit goldenem Löwen und sieben silbernen Sternen auf rotem Grund. Das neue Wappen Thüringens zeigt einen aufrecht stehenden, rot-silber gestreiften, goldgekrönten und bewehrten Löwen auf blauem Grund. Er ist umgeben von acht silbernen Sternen. Früher waren es sieben Sterne – für die sieben Kleinstaaten, aus denen das Land gebildet wurde. Nach 1945 kam der achte Stern für den nach Thüringen heimgekehrten preußischen Regierungsbezirk Erfurt hinzu.

Menschen und Landschaften

Vielfältige kulturelle Einflüsse haben Thüringen als Region im Herzen Deutschlands geprägt. Hier kreuzten sich die Handelswege, mit den fremden Menschen und Waren kamen immer neue Ideen. Thüringen war im 16. Jahrhundert die Speerspitze der Reformation, doch rund um das kurmainzische Erfurt hielt sich der Katholizismus. Vielfalt spiegelt sich auch in der Architektur und in der Sprache wider.

Thüringen ist das Land der vielen Dialekte. Im Norden verläuft die niederdeutsche, im Süden die fränkische Sprachgrenze. Das Ostthüringische wurde vom Sächsischen beeinflußt, das Westthüringische vom Hessischen.

Auf einen Nenner gebracht, gelten die Thüringer als bescheiden und liebenswürdig. Sie schätzen die deftigen Genüsse. Thüringer Nationalgerichte sind Kuchen, Klöße und Rostbratwürste.

Der Thüringer Wald: Lichtenhain am Rennsteig

Doch auch ein Zug Weltoffenheit gehört zum Land. Dafür sorgen allein schon die Millionen von Besuchern. Seit der Wiedervereinigung zieht es die Menschen auf Bildungsreise zu den Wirkungsstätten der großen Deutschen in Thüringen. In Jena war es, wo Friedrich Schiller als Professor Geschichte lehrte, in Eisenach wurde Johann Sebastian Bach geboren. Das Hauptziel der Besucher ist jedoch Weimar: vier Millionen Besucher zählte man im Jahr 1990. Eine Million Menschen statteten der Wartburg einen Besuch ab.

Thüringen bietet viele lohnende Ziele. Erfurt hat eine prächtige Altstadt, die als eine der größten in Europa gilt. Die „Turmreiche" wurde Erfurt im Mittelalter wegen ihrer 80 Kirchen genannt. Viele sind erhalten geblieben, darunter der St. Marien-Dom und die benachbarte St. Severin-Kirche. Eine weitere Attraktion ist die Krämerbrücke, ein Profanbau aus dem Mittelalter. Es ist in ihrer Art die einzige nördlich der Alpen.

Sichtbar sind in den Städten Thüringens aber auch die Zeichen des Verfalls. Während auf der grünen Wiese zu DDR-Zeiten einförmige Beton-Wohnblöcke errichtet wurden, blieben die Mittel zur Erhaltung alter Bausubstanz rar. Erste Sanierungsprojekte sind jedoch angelaufen.

Städtebau und Umweltschutz werden in den nächsten Jahren und Jahrzehnten erhebliche Investitionen erfordern. Der Baumbestand des Thüringer Walds ist geschädigt, die Werra wurde durch die Einleitung kaum geklärter Abwässer der Kalibetriebe verseucht. In den riesigen Schweinemastanlagen des Landes fällt Gülle an, deren hoher Gehalt an Ammoniak und Nitrat das Grundwasser belastet.

Doch die Thüringer entwickeln Aktivität. Schon engagiert sich die westdeutsche Wirtschaft in Thüringen. Bis August 1990 wurden allein im Großraum Erfurt über 450 Gemeinschaftsunternehmen von westdeutschen und thüringischen Firmen gegründet.

Zielstrebig gehen die Thüringer auch daran, die Infrastruktur für den Tourismus aufzubauen. Hier fehlt es noch an Übernachtungsmöglichkeiten und Restaurants, um dem rapide wachsenden Besucherstrom gerecht zu werden. Dabei hat Thüringen touristisch viel zu bieten. Neben seinen Städten und Schlössern, den Burgen und Museen zählt die Natur zu den Aktivposten. Nicht nur Wintersport ist in Thüringen möglich, sondern auch das Wandern.

Im Mittelpunkt steht hier Deutschlands sagenumwobener Höhenweg durch den Thüringer Wald, der Rennsteig. Der fast 169 Kilometer lange Weg wurde erstmals 1330 als ,,Rynnestig'' erwähnt und war ein mittelalterlicher Handels- und Kurierweg.

Wirtschaft

Präzisionsteile für den Weltraum, Lasertechnik und der erste in der früheren DDR hergestellte Megabit-Chip: das steht für Spitzenleistungen der Industrie in Thüringen. Rund 20 Prozent des mitteldeutschen Industriepotentials sind in diesem Land konzentriert.

Die neuen deutschen Bundesländer

ERRATUM

Verlag und Autor bedauern, daß auf Seite 22, 2. Absatz, eine mißverständliche Formulierung verwendet wurde. Es muß richtig heißen:

„. . . und Usedom (455 km²), das zu einem Viertel zu Polen gehört."

Viele Branchen und Unternehmen werden Schwierigkeiten haben, zu überleben. Doch es gibt auch starke Zweige, die nach einer Übergangszeit gute Chancen haben.

Rund ein Fünftel der Industriebeschäftigten arbeitet in Firmen der Elektrotechnik und Elektronik. Ein weiteres Fünftel entfällt auf den Maschinen- und Fahrzeugbau, während rund 36 Prozent der Beschäftigten in der Leichtindustrie (Textil, Bekleidung, Möbel, Spielwaren, Glas) Arbeit finden.

Sorgenkinder der thüringischen Wirtschaft sind der Kaliabbau im Südharz und Werratal sowie der Uranbergbau mit seinen radioaktiven Berghalden, die für einige Milliarden Mark saniert werden müssen. Vor schweren Zeiten steht auch die Textilindustrie.

Auf der Habenseite kann Thüringen die mittelfristig guten Aussichten für Maschinen- und Fahrzeugbau, Mikroelektronik, Keramikindustrie und Umweltschutztechnik verbuchen.

Am 5. Oktober 1990 rollte das erste in Eisenach hergestellte Opel-Modell vom Montageband. Bundeskanzler Helmut Kohl war dabei.

Zum Beispiel Autobau: schon 1896 wurde in Eisenach eines der ersten deutschen Autowerke gegründet. 1904 rollte hier der legendäre „DIXI"-Kleinwagen vom Band. Der „Wartburg" aus DDR-Zeiten ist nicht mehr konkurrenzfähig, doch schon hat sich Opel mit einer Fertigungsstätte für den „Vectra" in Eisenach engagiert. Auch andere bedeutende westdeutsche Firmen wie Krupp oder SEL sind mittlerweile im Land präsent.

Ein weltberühmter Hersteller optischer Präzisionsgeräte ist Carl Zeiss Jena mit den Glaswerken Schott, die die Rohlinge für die Linsen liefern. Der Mechaniker Carl Zeiss und der Physiker Ernst Carl Abbe begründeten schon im vorigen Jahrhundert den Ruf des Werkes, das nebenbei schon früh durch vorbildliche Sozialleistungen wie den Acht-Stunden-Tag von sich reden machte. Nach 1945 errichteten Zeiss-Mitarbeiter im württembergischen Oberkochen einen westlichen Ableger der Zeiss-Werke. Über vier Jahrzehnte lang bekämpften sich die Zeiss-Zwillinge auf den Weltmärkten, um nun die Wiedervereinigung vorzubereiten.

Eine große Tradition hat in Thüringen auch die handwerkliche Kunst. Von dort stammen zum Beispiel die nostalgischen Weihnachtspyramiden, Nußknacker oder Sternsinger. Bereits vor 1914 machten sie ein Drittel der Weltproduktion aus und werden auch heute so intensiv exportiert, daß sie im Land selbst kaum zu haben sind.

Rund ein Zehntel der Erwerbstätigen in Thüringen — etwa 130 000 Menschen — arbeiten in der Landwirtschaft. Hier stehen die landwirtschaftlichen Produktionsgenossenschaften in der Krise. Rasch entwickeln dürfte sich dagegen der Fremdenverkehr, der schon heute ein bedeutender Wirtschaftsfaktor ist. Dies gilt nicht nur für die Erholungs- und Sportregion Thüringer Wald, sondern auch für touristische Ziele wie die Wartburg oder Weimar.

Das neue Land

Politisch wird Thüringen seit der Revolution 1989 von den bürgerlichen Parteien dominiert. Bei der Volkskammerwahl am 18. März 1990 kam die CDU auf 54,1 Prozent der Wählerstimmen. Die DSU erreichte 5,8 Prozent, die FDP 4,6 Prozent. Die SPD erhielt in ihrem vermeintlichen Stammland nur 17,5 Prozent. Die SED-Nachfolgepartei PDS vereinigte 11,4 Prozent der Stimmen auf sich. Das Bündnis '90 erreichte 4,1 Prozent.

Diese Verteilung der Gewichte blieb im wesentlichen auch bei der Landtagswahl am 14. Oktober 1990 erhalten. Die CDU wurde mit 45,4 Prozent stärkste Partei. Die FDP erzielte diesmal 9,3 Prozent, die SPD kam auf 22,8 Prozent. Die PDS wählten 9,7 Prozent, die Gruppierung ,,Bündnis '90/Grüne" vereinigte 6,5 Prozent der Stimmen auf sich. Die anderen Parteien scheiterten an der Fünf-Prozent-Hürde.

Daraus ergab sich folgende Sitzverteilung im Landtag: CDU 44, SPD 21, FDP 9, PDS 9, Bündnis '90/Grüne 6, bei insgesamt 89 Sitzen.

*Ministerpräsident
von Thüringen:
Josef Duchac
(CDU)*

Das Wahlergebnis mündete in eine Koalition zwischen CDU und FDP. Erster Ministerpräsident des neuen Landes Thüringen wurde im November 1990 *Josef Duchac* (CDU). Duchac ist gelernter Wirtschafts- und Chemie-Ingenieur, der zuvor als Landessprecher im Auftrag der Bundesregierung den Aufbau der Thüringer Verwaltung geleitet hatte.

Stellvertretender Regierungschef und Minister für Kultus und Wissenschaft ist *Ulrich Fickel* von der FDP. Seine Partei stellt mit Wirtschaftsminister *Hans-Jürgen Schultz* und Umweltminister *Hartmut Sieckmann* zwei weitere Kabinettsmitglieder. Sieben Minister gehören der CDU an: als Innenminister fungiert der CDU-Landesvorsitzende *Willibald Böck*. Aus Hessen kommen Justizminister *Dr. Hans-Joachim Jentsch* und Sonderminister *Jochen Lengemann*. Das Finanzressort leitet *Klaus Zeh, Hans-Henning Axthelm* wurde Sozialminister. *Christine Lieberknecht* ist Bildungsministerin und *Volker Sklenar* leitet das Landwirtschaftsministerium.

Im thüringischen Landtag verfügt die CDU/FDP-Koalition über die Mehrheit der 89 Mandate. Regierungssitz des neuen Bundeslandes ist Erfurt.

Die Bundestagswahl am 2. Dezember 1990 brachte keine wesentliche Verschiebung der politischen Gewichte, abgesehen von einem bemerkenswerten Anstieg der FDP-Stimmen auf 14,6 Prozent. Die CDU lag bei 45,2 Prozent, die SPD bei 21,9 Prozent, die PDS erreichte 8,3 Prozent und Bündnis '90/Grüne 6,1 Prozent.

Regiert wird Thüringen auf der Grundlage einer ,,Vorläufigen Landessatzung''. Sie regelt die Kompetenzen von Landtag und Regierung. Eine endgültige Landesverfassung muß noch erarbeitet werden. Sie dürfte etwa 1992 vorliegen.

In einer ersten Erklärung nach seiner Wahl umriß Ministerpräsident *Josef Duchac* die grundsätzlichen Ziele von Regierung und Parlament. Alle Abgeordneten, sagte Duchac, hätten vom Wähler den gemeinsamen Auftrag erhalten, Thüringen wieder ,,zum kräftig schlagenden, grünen Herz Deutschlands'' zu machen.

Föderalismus in Deutschland

Von Konrad Reuter

Einheit in Vielfalt

Am 3. Oktober 1990 ist sowohl das Prinzip der nationalen Einheit wie das der föderativen Vielfalt zum Zuge gekommen. Die Herstellung der nationalen Einheit in der ,,Bundesrepublik Deutschland'' ist zugleich ein Mehr an bundesstaatlicher Vielfalt. So fügt sich das Einigungsdatum ohne weiteres — auch wenn eine so günstige Entwicklung plötzlich und unerwartet kam — in den geschichtlichen deutschen Einigungsprozeß ein. Dieser war von seinen Anfängen an eine Verbindung zwischen dem nationalen Element der Gemeinsamkeit und den partikularen Elementen regionaler Eigenständigkeiten. Der Föderalismus war und ist in Deutschland die staatsrechtliche Organisationsform, die staatliche Einheit schafft, ihr zugleich aber innere Grenzen setzt und so eine Übersteigerung des Einheitsgedankens verhindert.

Bis zu seiner Katastrophe im gleichgeschalteten Zentralismus des nationalsozialistischen Regimes hatte Deutschland stets eine dezentrale Staatsstruktur. Es gab keine übermächtige Zentralgewalt, die über ,,Provinzen'' entscheiden konnte. Die regionale Aufteilung staatlicher Macht gehört zum Erbe der deutschen Verfassungsgeschichte.

Vom Mittelalter bis zum Jahre 1806 wurde Deutschland durch manche Vorzüge, aber auch sehr nachteilig durch die Kleinstaaterei des *Heiligen Römischen Reiches Deutscher Nation* geprägt. Nach der Ära Napoleons wurde auf dem Wiener Kongreß 1815 der *Deutsche Bund* als Staatenbund von 35 souveränen Fürstentümern und vier freien Städten gebildet. Österreich und Preußen gehörten dem Bund nur mit ihren ehemals reichsangehörigen Gebietsteilen an, also Österreich ohne Ungarn und die polnischen Gebiete, Preußen ohne Ostpreußen und Posen. Der Bund hatte als ,,völkerrechtlicher Verein'' keine Staatsqualität und kein Oberhaupt. Sein Zweck war die Wahrung der Unabhängigkeit der souveränen Einzelstaaten und die Niederhaltung der neuen politischen und sozialen Kräfte. Er hatte bis 1866 Bestand, als er am ,,Dualismus'' Österreichs und Preußens scheiterte. 17 Jahre zuvor war die Vision zerplatzt, den Deutschen Bund zu einem demokratischen Bundesstaat fortentwickeln zu können. Nach der Märzrevolution von 1848 hatte die zu diesem Zweck in allgemeinen und gleichen Wahlen gebildete Frankfurter Nationalversammlung in der Paulskirche am 28. März 1849 einen kühnen und zukunftsweisenden Verfassungsentwurf verabschiedet, der jedoch nicht zuletzt an der Weigerung des preußischen Königs scheiterte, die Kaiserkrone aus der Hand des Volkes entgegenzunehmen.

Der 1867 unter der Federführung Bismarcks gegründete *Norddeutsche Bund* war trotz der Bezeichnung ,,Bund'' in staatsrechtlicher Hinsicht mehr als der nach dem preußisch-österreichischen Krieg von 1866 formell aufgelöste Deutsche Bund. Die neue Vereinigung von 22 norddeutschen Staaten war nach ihrer Verfassung selbst ein Staat − sie war also ein aus Einzelstaaten bestehender Gesamtstaat und damit der erste Bundesstaat auf deutschem Boden. Er fand im Zusammenhang mit dem deutsch-französischen Krieg von 1870/71 seine Erweiterung um die süddeutschen Staaten zum *Deutschen Reich*. Nach der Präambel der Verfassung von 1871 hatte dieses Reich auch in seiner Entstehung einen ,,bündischen'' Charakter. Der König von Preußen für den Norddeutschen Bund und die süddeutschen Landesherren schlossen ,,einen ewigen Bund zum Schutz des Bundesgebietes und des innerhalb desselben gültigen Rechtes sowie zur Pflege der Wohlfahrt des deutschen Volkes''. Die politischen Ziele der Reichsbildung waren die Herstellung der nationalen Einheit (in der ,,kleindeutschen Lösung'', also ohne Österreich) bei Wahrung des monarchischen Prinzips und weitgehender einzelstaatlicher Souveränität auf der einen Seite sowie Anerkennung gesamtstaatlicher Kompetenzen und demokratischer Mitwirkung auf der anderen Seite. Das Reich hatte eine umfassende Gesetzgebungskompetenz, die auch weitgehend in Anspruch genommen wurde, so daß schon damals schrittweise die Rechtseinheit für die wichtigsten Rechtsgebiete herbeigeführt wurde. Die Finanzverfassung war dagegen so ausgebildet worden, daß das Reich, das fast keine eigenen Steuereinnahmen hatte, von den Matrikularbeiträgen der Gliedstaaten abhängig und so ein ,,Kostgänger der Einzelstaaten'' war.

Das Ende des Ersten Weltkrieges bedeutete zugleich das Ende der monarchischen Staatsform. Aber auch die Fortführung der bundesstaatlichen Ordnung wurde in Frage gestellt. Die Umwandlung des bisherigen monarchischen Bundesstaates in einen dezentralisierten, demokratischen Einheitsstaat wurde zunächst sogar favorisiert. Die *Weimarer Verfassung* ist in der Vereinheitlichung Deutschlands dann in der Tat über die Reichsverfassung von 1871 hinausgegangen. Sie hat jedoch davon abgesehen, die Staatsgewalt vollständig in die Hand des Reiches zu legen. Die historische Stellung der Länder als selbständige Staaten blieb bestehen, allerdings unter starken Beschränkungen.

Mit der ,,Machtübernahme'' durch die Nationalsozialisten wurde diese bundesstaatliche Struktur Schritt für Schritt abgebaut und im Ergebnis schließlich ganz beseitigt, obwohl die Länder als solche nicht aufgelöst wurden.

Mit der bedingungslosen Kapitulation der deutschen Wehrmacht im Mai 1945 und dem totalen Zusammenbruch der eigenen staatlichen Ordnung übten die Siegermächte die Staatsgewalt nach innen und außen aus. Deutschland wurde in vier Besatzungszonen (amerikanische, britische, französische und sowjetische Zone) geteilt, Groß-Berlin erhielt einen Vier-Mächte-Status, ein Teil Ostpreußens wurde unter sowjetische Verwaltung, die übrigen Ostgebiete jenseits von Oder und Neiße unter polnische Verwaltung gestellt und das ,,Saargebiet" dem französischen Wirtschafts-, Zoll- und Währungsgebiet angegliedert.

Neues staatliches Leben entstand nach dem totalen Zusammenbruch zunächst auf der Ebene von Ländern. Sie waren von den Besatzungsmächten in ihren Besatzungszonen mit teilweise recht zufälligen Grenzverläufen und zu einem großen Teil aus Gebieten des aufgelösten Preußens gebildet worden. Auf dem Territorium der drei westlichen Besatzungszonen entstand nach zonalen Formen der Zusammenarbeit (Länderrat, Zonenbeirat, Bizone) schließlich mit dem Grundgesetz vom 23. Mai 1949 die Bundesrepublik Deutschland als Bundesstaat. Sie zählte zunächst einschließlich West-Berlin zwölf Länder, aus denen nach der Bildung Baden-Württembergs durch Vereinigung von Baden, Württemberg-Baden und Württemberg-Hohenzollern im Jahre 1952 zehn Länder wurden. 1957 kam das Saarland als elftes Bundesland durch Beitritt nach Artikel 23 des Grundgesetzes hinzu. In der sowjetischen Besatzungszone wurden die Länder Brandenburg, Mecklenburg, Sachsen, Sachsen-Anhalt und Thüringen neben dem Sondergebiet von Ost-Berlin gebildet. Aus diesen Territorien entstand die am 7. Oktober 1949 gegründete *Deutsche Demokratische Republik,* die damit verfassungsrechtlich ebenfalls ein Bundesstaat war. Das föderative System war jedoch nur schwach ausgeprägt. Es wurde 1952 abgeschafft, als die Länder durch 14 ,,Bezirke'' ersetzt wurden.

Bei den revolutionären Ereignissen des Jahres 1989 gehörte die Wiederherstellung der fünf früheren Länder von Anfang an zu den politischen Zielen. Der Föderalismus erwies sich, das darf man wohl daraus folgern, als eine dem Zentralstaat überlegene, bürgernahe Staatsform. Durch den *Beitritt nach Artikel 23* des Grundgesetzes ist die Deutsche Demokratische Republik am 3. Oktober 1990 erloschen; sie lebt allein noch in den Ländern weiter, die von ihr am 22. Juli 1990 wieder errichtet wurden: Brandenburg, Mecklenburg-Vorpommern, Sachsen, Sachsen-Anhalt und Thüringen sowie Ost-Berlin, das ein Teilbereich des vereinten Landes Berlin geworden ist.

Der Zentralstaat DDR hat aufgehört zu existieren, die „neuen" Bundesländer sind nun Glieder der Bundesrepublik Deutschland und damit Teil ihres föderativen Systems.

Bundesstaatlichkeit als Ausdruck des Föderalismus

Der Bundesstaat ist ein Gesamtstaat (Bund), der staatsrechtlich aus Staaten (Ländern) in der Weise zusammengefügt ist, daß die Gliedstaaten ihm einerseits nachgeordnet sind, sie andererseits aber an der Bildung des Bundeswillens mitwirken. Weder der Bund noch die Länder sind für sich allein handlungsfähig. Erst das Zusammenwirken auf der Bundes- und Landesebene macht „den Staat" aus. Begrifflich wird Bundesstaatlichkeit im allgemeinen mit Föderalismus (von lateinisch foedus: Bund, Bündnis) gleichgesetzt. So werden die Begriffe auch hier verwendet.

Schwächere Formen des staatlichen Zusammenschlusses als der Bundesstaat stellen der Staatenbund, auch Konföderation genannt (zum Beispiel der Deutsche Bund von 1815 – 1866), internationale Organisationen zur Verfolgung bestimmter Zwecke (zum Beispiel UNO, NATO) oder supranationale Gemeinschaften (zum Beispiel die EWG) dar. Den Gegensatz zum Bundesstaat bildet der Einheitsstaat, der auch als Zentralstaat bezeichnet wird, weil alle Staatstätigkeit auf einer Ebene zentralisiert ist.

Die Aufgabenverteilung

Im Bundesstaat sind die Aufgaben und Befugnisse des Staates zwischen Bund und Ländern aufgeteilt. Zur klassischen „horizontalen" Gewaltenteilung (Legislative – Exekutive – Rechtsprechung) kommt die „vertikale" Gewaltenteilung zwischen Gesamtstaat und Gliedstaaten hinzu – es besteht also eine doppelte Gewaltenteilung. Dementsprechend haben nicht nur der Bund, sondern hat auch jedes Land für seinen Bereich ein Parlament, eine Regierung und Gerichte.

Je nach Art und Ausmaß der Aufgabenteilung hat jeder Bundesstaat sein eigenes Gesicht. Die Verfassung der Bundesrepublik Deutschland hat die Aufgaben nicht geschlossen nach Sachgebieten aufgegliedert, sondern sie differenziert nach den Staatsfunktionen und gleichzeitig nach Sachgebieten. Verallgemeinernd kann man sagen:

- Für die Gesetzgebung ist auf den meisten Gebieten der Bund zuständig.
- Die Verwaltung ist grundsätzlich Ländersache.
- Bei der Rechtsprechung sind Bund und Länder eng miteinander verzahnt.

Diese Aufgabenverteilung gibt dem Bund eine starke Stellung; denn mit der umfassenden Gesetzgebungshoheit kann er bundeseinheitliche Normen für alle Länder und alle Bürger setzen. Die Länder allerdings – und das ist ein wichtiger Ausgleich – können über den Bundesrat an der Gesetzgebung des Bundes mitwirken: Bundesgesetze, die die Belange der Länder in besonderer Weise berühren, sind nur mit ausdrücklicher Zustimmung des Bundesrates möglich.

Gesetzgebung – Schwergewicht beim Bund

Bei den Gesetzgebungszuständigkeiten sind die Gewichte eindeutig zugunsten des Bundes verteilt.

Gesetzgebung des Bundes

Das Grundgesetz hat das Gesetzgebungsrecht des Bundes abgestuft: für bestimmte Sachgebiete, die im Interesse des Gesamtstaates und seiner Bürger bundeseinheitlich geregelt sein sollen, weist das Grundgesetz allein dem Bund die Gesetzgebung zu *(ausschließliche Gesetzgebung).* Hierzu gehören zum Beispiel: Auswärtige Angelegenheiten, Verteidigung, Staatsangehörigkeit im Bund, Währung, Maße, Gewichte, Post- und Fernmeldewesen, Zoll und Grenzschutz.

Bei einer Vielzahl von Sachgebieten indes dürfen Bund und Länder gesetzgeberisch „konkurrieren" *(konkurrierende Gesetzgebung).* Dem Bund ist allerdings ein Vorrang eingeräumt. Die Länder dürfen hier Gesetze nur erlassen, wenn und soweit der Bund nicht die gleichen Gegenstände durch Gesetze regelt. Der Bund hat von diesen Kompetenzen in der Praxis einen so umfassenden Gebrauch gemacht, daß kaum noch Raum für konkurrierende Gesetze der Länder bleibt, und diese Bereiche praktisch die ausschließliche Domäne des Bundes sind. Beispiele sind: Strafrecht, Prozeßrecht, Vereins- und Versammlungsrecht, Wirtschaftsrecht, Arbeitsrecht, Straßenverkehr und Wohnungswesen.

Bei einer anderen Gruppe von Sachbereichen ist die Intensität der Bundesgesetze inhaltlich beschränkt. Der Bund darf hier Rahmenvorschriften erlassen, die die Umrisse, Richtlinien und inhaltlichen Grundzüge festlegen *(Rahmengesetzgebung des Bundes).* Dazu gehören: Die allgemeinen Grundsätze des Hochschulwesens, die allgemeinen Rechtsverhältnisse von Presse und Film, Naturschutz, Landschaftspflege, Raumordnung, Wasserhaushalt, Melde- und Ausweiswesen. Den Ländern verbleibt hier also die Möglichkeit, die Einzelheiten innerhalb des vom Bund gesetzten Rahmens selbst zu entscheiden. Das „Raumordnungsgesetz" des Bundes enthält also nur allgemeine Regeln, die eigentliche Strukturplanung für die wirtschaftlichen, sozialen und kulturellen Verhältnisse ist Sache jedes einzelnen Landes.

Gesetzgebung der Länder

Die Länder sind für Gesetzgebung zuständig, soweit dem Bund das Gesetzgebungsrecht in der Verfassung nicht übertragen worden ist. Auf den ersten Blick könnte der Eindruck entstehen, die Länder hätten auf diese Weise weitreichende Gesetzgebungsmöglichkeiten. Tatsächlich läßt die Verfassung jedoch ein anderes Ergebnis zu. Dem Bund wurde schon 1949 bei der Gründung der Bundesrepublik Deutschland die Zuständigkeit für fast alle damals wichtigen Bereiche zugewiesen, und durch zahlreiche Verfassungsänderungen hat er neue Aufgaben übertragen erhalten. Den Ländern steht die Gesetzgebung und damit die volle politische Gestaltungsmöglichkeit für folgende Sachbereiche noch fast geschlossen – also ohne Bundesvorschriften – zu:

- Kulturelle Angelegenheiten, insbesondere Schul- und Bildungswesen, Rundfunk und Fernsehen;
- Kommunalwesen, also das Organisationsrecht für Städte, Gemeinden und Landkreise;
- Polizeirecht, das sind die allgemeinen Regeln für die staatliche Ordnungsverwaltung und ihre Organisation.

In diesen wichtigen Bereichen können die Länder also durchaus unterschiedliche Ziele verfolgen oder eigene Wege gehen. Deshalb kann es hier – insbesondere auf kulturellem Gebiet – Wettbewerb und Vielfalt geben. Das schließt natürlich eine gegenseitige Abstimmung und Koordinierung über die Ländergrenzen hinaus nicht aus. Polizeirecht ist Ländersache – und dennoch ist zum Beispiel die Polizeiuniform in allen Ländern gleich, weil sich die Länder darauf geeinigt haben. Nicht unerhebliche Unterschiede gibt es im Schulwesen, aber auch hier sind die Kultusminister der Länder um Vereinheitlichung bemüht, soweit sie von allen als sinnvoll angesehen wird. Kein Land kann in diesen Bereichen aber durch den Bund oder durch Mehrheitsbeschluß der anderen Länder zu einer abgestimmten Lösung gezwungen werden.

Durch die Rahmengesetzgebung des Bundes beschränkt, aber gleichwohl bedeutsame Gesetzgebungszuständigkeiten haben die Länder außerdem für:

– die Landesplanung, also die strukturelle Entwicklung des Landes,
– den Naturschutz, die Landschaftspflege und den Wasserhaushalt.

Die Parlamente der Länder haben natürlich auch das Budgetrecht für den Landeshaushalt.

Jedes Land kann selbst entscheiden, wie es sein Geld ausgibt. Der Dispositionsspielraum ist allerdings – ebenso wie der des Bundes – kleiner als zehn Prozent, da zuerst die schon bestehenden gesetzlichen Zahlungsverpflichtungen erfüllt werden müssen, bevor neue Prioritäten gesetzt werden können.

Verwaltung – Schwergewicht bei den Ländern

Das Grundgesetz wollte Mammutbehörden vermeiden, die fernab vom unmittelbaren Geschehen in einer Zentrale am grünen Tisch entscheiden. Die Verwaltungsaufgaben sind deshalb im wesentlichen den Ländern übertragen worden. Bundesbehörden sind nur in wenigen Bereichen für den Vollzug der Gesetze zuständig. Es sind im wesentlichen nur der Auswärtige Dienst, Bundesbahn, Bundespost, Bundesfinanzverwaltung, Bundeswehr, Bundesgrenzschutz und Arbeitsvermittlung. Fast alle anderen Verwaltungsaufgaben werden von den Ländern, ihren Bezirken, Landkreisen und Gemeinden wahrgenommen. Die Länder führen also nicht nur die Landesgesetze aus, sondern auch die Bundesgesetze. Wenn sie für den Bund tätig werden, tun sie es entweder ,,im Auftrag des Bundes'' oder als ,,eigene Angelegenheit''. *Auftragsverwaltung* besteht nur für einen kleinen Kreis von Verwaltungsaufgaben. Zum Beispiel: Verwaltung der Bundesautobahnen und Bundesstraßen, Verwaltung von Bundeswasserstraßen, Aufgaben der Luftverkehrsverwaltung (Genehmigung von Flughäfen), Aufgaben auf dem Gebiet der Kernenergie (Genehmigung von Kernkraftwerken und Anlagen zur Lagerung oder Wiederaufbereitung (radioaktiver Stoffe). Der Bund kann den Landesbehörden hierbei Weisungen erteilen, sich also in alle Einzelheiten einmischen.

Die meisten Bundesgesetze werden von den Ländern als *eigene Angelegenheit* vollzogen. Die Einwirkungsmöglichkeiten des Bundes sind hierbei schwächer als bei der Auftragsverwaltung. Die Aufsicht erstreckt sich nur auf die Rechtmäßigkeit der Verwaltungsentscheidungen, nicht auch auf deren Zweckmäßigkeit. Wenn beim Vollzug mehrere Möglichkeiten rechtmäßig sind, dann darf das Land die Auswahl treffen. Die Länder sind deshalb hier nicht nur ausführende Organe, sondern sie können durchaus eigene Erwägungen einbringen und echte Entscheidungen treffen. Anwendungsfälle sind das Baurecht, das Gewerberecht und das Sozialhilferecht und überhaupt die meisten Bundesgesetze.

Landesgesetze werden grundsätzlich immer von Landesbehörden als *Landeseigenverwaltung* und nicht von Bundesämtern ausgeführt. Hierzu gehört nicht nur die Anwendung von Rechtsvorschriften, sondern auch die gestaltende Tätigkeit des Staates, die Leistungsverwaltung: Entscheidungen über den Bau von Schulen, Universitäten, Theatern, Museen, aber auch staatliche Förderung von Industrieansiedlung, Strukturpolitik oder Städteplanung. Verwaltung in diesem weitesten Sinne der Regierungstätigkeit – in Abgrenzung von der Parlamentstätigkeit – ist also nicht nur eine untergeordnete, bloß ausführende Tätigkeit. Das gestaltende staatliche Handeln ist aktive Politik.

Mit dem Schwergewicht auf dieser Staatsgewalt haben die Länder deshalb eine wichtige Funktion erhalten.

Rechtsprechung – verzahnt zwischen Bund und Ländern

Bei der Dritten Gewalt, der Rechtsprechung, sind die Zuständigkeiten zwischen Bund und Ländern noch stärker vermischt als bei der Gesetzgebung und Verwaltung. Es gibt einen Instanzenzug zwischen Bund und Ländern. Die Prozesse beginnen bei Gerichten der Länder; sie enden bei Einlegung von Rechtsmitteln bei Gerichten des Bundes. Die Bundesgerichte können rechtsfehlerhafte Entscheidungen der Ländergerichte aufheben und so für die Einheitlichkeit der Rechtsprechung im gesamten Bundesgebiet sorgen.

Die Finanzverfassung

Die Finanzlasten

Die meisten Grundsätze und Regeln der Zuständigkeitsverteilung erhalten ihr Gewicht erst durch die entsprechende Finanzausstattung. Was nützt etwa den Ländern die Kompetenz zum Straßenbau, wenn das Geld dazu fehlt? Die Regelungen über die Finanzen sind deshalb tragende Säulen des föderativen Staatsaufbaus und ein Dauerthema im Dialog zwischen Bund und Ländern. Die Kostenverantwortung für die Aktivitäten von Bund und Ländern hat das Grundgesetz aufgeteilt:

Die Verwaltungskosten, die zum Betrieb und zur Erhaltung des Staatsapparates erforderlich sind, hat der Dienstherr der jeweiligen Einrichtung zu tragen. Bei Behörden des Bundes hat also der Bund, bei Behörden der Länder hat das jeweilige Land für die Personalkosten und den Bürobedarf aufzukommen.

Die Zweckausgaben hat derjenige zu tragen, dem die Verwaltungsverantwortung für die entsprechende Aufgabe übertragen ist. Liegt diese beim Bund, fallen ihm die Kosten zur Last, liegt sie beim Land, treffen die Kosten das Land. Bei der Ausführung von Bundesgesetzen durch die Länder ,,im Auftrag des Bundes'' hat der Bund die letzte Verantwortung und deshalb muß er auch die aus der Auftragsverwaltung sich ergebenden Zweckausgaben übernehmen. Die Autobahnen werden von den Ländern als Auftragsangelegenheit gebaut, deshalb muß der Bund die Baukosten tragen.

Ebenso treffen ihn die Kosten für die Bundeswehr, für die er die alleinige Verwaltungsverantwortung hat. Schulbau ist dagegen Verwaltungsangelegenheit der Länder (beziehungsweise der Gemeinden) und deshalb auch ihre Kostenangelegenheit. Die Länder müssen für die Zweckausgaben aber auch bei Bundesgesetzen aufkommen, die sie als ,,eigene Angelegenheit" zu vollziehen haben, wie zum Beispiel beim Bundessozialhilfegesetz, beim Strafvollzugsgesetz oder bei den Umweltschutzgesetzen des Bundes auf den Gebieten der Luft- und Wasserreinhaltung sowie der Lärmbekämpfung.

Bei Geldleistungsgesetzen des Bundes, also Gesetzen, die Geldzahlungen an Bürger vorsehen, kann der Bund ganz oder teilweise mit den von den Ländern auszuzahlenden Leistungen belastet werden. Von den Unterhaltszahlungen an Studenten beispielsweise muß der Bund den Ländern einen Teil ersetzen; denn das entsprechende Ausbildungsförderungsgesetz ist ein Bundesgesetz. Wenn die Länder ein Viertel der Ausgaben oder mehr zu tragen haben, dann − aber auch erst dann − ist die Zustimmung des Bundesrates für solche Geldleistungsgesetze erforderlich.

Die Verteilung der Steuern

Nach der Regelung des Grundgesetzes werden fast alle Steuergesetze vom Bund beschlossen. Diese Bundeseinheitlichkeit hat den großen Vorzug, daß die Steuerbelastung in allen Landesteilen im wesentlichen gleich hoch ist, so daß Wettbewerbsverzerrungen und Anreize zur landesinternen Steuerflucht vermieden werden. Eine finanzielle Benachteiligung der Länder braucht daraus nicht zu folgen; denn mit der Zuständigkeit zur Gesetzgebung wurden dem Bund nicht zugleich die Einkünfte aus den betreffenden Steuern zugesprochen. Bund und

Länder haben vielmehr einen „gleichmäßigen Anspruch" auf die Staatseinnahmen. Die Deckungsbedürfnisse des Bundes und der Länder sind so aufeinander abzustimmen, daß ein billiger Ausgleich erzielt, eine Überbelastung der Steuerpflichtigen vermieden und die Einheitlichkeit der Lebensverhältnisse im Bundesgebiet gewahrt wird.

Für die Aufteilung der Steuern zwischen dem Bund einerseits und den Ländern andererseits werden zwei unterschiedliche Systeme angewandt. Die meisten Steuerarten werden nach dem sogenannten Trennsystem entweder dem Bund oder den Ländern jeweils ausschließlich zugewiesen.

Die wichtigsten Steuern aber, die zusammen etwa 70 Prozent des Steueraufkommens ausmachen, werden nach dem sogenannten Verbundsystem zwischen Bund und Ländern aufgeteilt. Dieser Steuerverbund umfaßt als Kernstück der Finanzverfassung drei Steuern: die Einkommensteuer und die Körperschaftsteuer. Bei ihnen hat die Verfassung bestimmte Quoten für den Bund einerseits und die Länder andererseits festgeschrieben. Bei der dritten Steuer, der Umsatzsteuer (Mehrwertsteuer), sind keine festen Quoten, sondern eine von Zeit zu Zeit vorzunehmende Anpassung vorgeschrieben.

Das Ausgabenvolumen des Bundeshaushalts hatte 1988 zum Beispiel die Höhe von 278 Milliarden DM, das aller Länder zusammen betrug 269 Milliarden DM. Hinzu kommen außerdem die Haushalte der Städte, Gemeinden und Kreise, deren Ausgaben sich auf insgesamt 184 Milliarden DM beliefen; sie werden aus einem Anteil an der Einkommensteuer und eigenen Steuereinnahmen finanziert.

Der Finanzausgleich

Die Finanzverfassung muß das Steueraufkommen aber nicht nur zwischen dem Bund und den Ländern sachgerecht aufteilen, sondern auch regeln, wie der Länderanteil auf die einzelnen Länder verteilt wird. Das Grundgesetz hat dafür in erster Linie das Prinzip des örtlichen Aufkommens für maßgeblich erklärt. Danach verbleibt jedem Land der Teil des Länderanteils, der von den Finanzbehörden in seinem Staatsgebiet vereinnahmt wird. Jedem Land sollen die Steuern oder Steueranteile zustehen, die aus seiner Wirtschaftskraft fließen und die seiner Wirtschaftsstruktur entsprechen. Die Länder der Bundesrepublik Deutschland weisen in ihrer Wirtschafts- und Finanzkraft aber beträchtliche Unterschiede auf. Es gibt ,,arme'' und ,,reiche'' Bundesländer. Das Grundgesetz schreibt deshalb zwingend vor, daß die unterschiedliche Finanzkraft der Länder ,,angemessen ausgeglichen'' wird. Eine völlige Einebnung des Steueraufkommens wird nicht angestrebt, weil sonst die Gefahr bestünde, daß die ,,reichen'' Länder jedes Interesse an der Erhaltung ihres Vorsprungs verlieren und die ,,armen'' ihre Anstrengungen zum Ausbau ihrer Wirtschaft vernachlässigen würden.

Das Ergebnis der recht komplizierten Berechnungs- und Zahlungsmodalitäten ist: Die finanzschwachen Länder werden durch die Ausgleichszahlungen so weit angehoben, daß sie etwa 95 Prozent dessen erreichen, was im Bundesdurchschnitt pro Einwohner an Steuereinnahmen erzielt wird.

Übergangsregelungen für die neuen Länder

Die Finanzverfassung des Grundgesetzes konnte wegen der gänzlich anderen Ausgangslage nicht ohne weiteres und nicht sofort für die neuen Länder in Kraft gesetzt werden. Im Einigungsvertrag sind deshalb Sonderregelungen für die künftige Finanzausstattung dieser Länder vereinbart worden.

Zunächst haben der Bund und die elf ,,Altländer'' im Zusammenhang mit der Währungs-, Wirtschafts- und Sozialunion einen Fonds ,,Deutsche Einheit'' mit einer Finanzausstattung von 115 Milliarden DM gebildet. Diese Mittel sollen in den Jahren 1990 bis 1994 insbesondere zur Flankierung des Umstellungsprozesses auf die soziale Marktwirtschaft in den Bereichen der Infrastruktur, der Wirtschaftsstruktur, der Landwirtschaft und zur Verbesserung der allgemeinen Lebensverhältnisse eingesetzt werden. 85 Prozent werden nach Einwohnerzahl zur Deckung des allgemeinen Finanzbedarfs auf die neuen Länder und Berlin, 15 Prozent zur Erfüllung zentraler öffentlicher Aufgaben auf dem Gebiet dieser Länder ausgezahlt.

Die Finanzverfassung des Grundgesetzes gilt hinsichtlich der Ausgabenkompetenzen (Finanzlast) und der Steuereinnahmenverteilung zwar auch für die neuen Länder, es bestehen jedoch Ausnahmeregelungen für die Umsatzsteuerverteilung, den Länderfinanzausgleich und die Finanzausstattung der Gemeinden.

Die Grundsätze über die Verteilung des Umsatzsteueraufkommens auf Bund und Länder (Artikel 106 Abs. 3 Satz 4 und Abs. 4 des Grundgesetzes) werden bis zum 31. Dezember 1994 auf die neuen Länder nicht angewendet. Die Aufteilung der Umsatzsteuer wurde zunächst für die Jahre 1990 bis 1992 vielmehr so vorgenommen, daß der Bund 65 Prozent und alle Länder zusammen 35 Prozent erhalten. Hinsichtlich der Verteilung dieses Länderanteils sieht der Einigungsvertrag eine unterschiedliche Gewichtung der Einwohnerzahlen vor. Danach werden die neuen Länder, gemessen am durchschnittlichen Pro-Kopf-Anteil, in geringerem Maße als die bisherigen Bundesländer beteiligt. Diese Regelung soll der Tatsache Rechnung tragen, daß das örtliche Umsatzsteueraufkommen je Einwohner in den neuen Ländern zunächst niedriger sein wird.

Einen gesamtdeutschen Länderfinanzausgleich wird es erst ab 1995 geben. Bis dahin wird der Ausgleich zwischen den bisherigen Ländern einerseits und zwischen den neuen Ländern andererseits erfolgen. Für eine Stärkung der Finanzausstattung der Gemeinden in den neuen Ländern sind besondere Regelungen zur Beteiligung am Steueraufkommen getroffen worden.

Außerdem werden die neuen Länder Zahlungen des Bundes im Rahmen der seit 1969 bestehenden drei Gemeinschaftsaufgaben (Ausbau und Neubau von Hochschulen einschließlich der Hochschulkliniken; Verbesserung der regionalen Wirtschaftsstruktur; Verbesserung der Agrarstruktur und des Küstenschutzes), für die Förderung der wissenschaftlichen Forschung von überregionaler Bedeutung, für die Ausführung der Geldleistungsgesetze und Investitionshilfen (Artikel 104 a Abs. 4 GG) erhalten.

Über welche Finanzausstattung die neuen Länder und ihre Gemeinden letztlich verfügen werden, ist derzeit nicht voll absehbar, da die eigenen Steuereinnahmen dieser Länder wegen der derzeit noch bestehenden Unsicherheiten über die weitere wirtschaftliche Entwicklung schwer abgeschätzt werden können. Deshalb sieht der Einigungsvertrag auch vor, daß bei einer grundlegenden Veränderung der Gegebenheiten die Möglichkeiten weiterer Hilfe zu prüfen sind.

Die Länder im Bundesrat

Die Länder sind in ihrer Tätigkeit nicht auf das eigene Territorium beschränkt. Sie können als Gliedstaaten vielmehr auch auf den Gesamtstaat Einfluß ausüben. Das dafür vorgesehene Verfassungsorgan ist der Bundesrat. Das Grundgesetz umschreibt seine Stellung und Funktion in Artikel 50: ,,Durch den Bundesrat wirken die Länder bei der Gesetzgebung und Verwaltung des Bundes mit.''

Der Bundesrat besteht aus Mitgliedern der Länderregierungen, die von diesen bestellt und abberufen werden. Die Mitglieder des Bundesrates haben also stets eine Doppelfunktion. Sie üben ein Landesamt und zugleich ein Bundesamt aus; sie sind Landespolitiker und Bundespolitiker. Die Zahl der Mitglieder, die jedes Land entsenden kann, ist unterschiedlich. Jedes Land hat mindestens drei Stimmen, Länder mit mehr als zwei Millionen Einwohnern haben vier, Länder mit mehr als sechs Millionen Einwohnern fünf, Länder mit mehr als sieben Millionen Einwohnern sechs Stimmen.

Stimmen der Länder im Bundesrat

Baden-Württemberg	6	Niedersachsen	6
Bayern	6	Nordrhein-Westfalen	6
Berlin	4	Rheinland-Pfalz	4
Brandenburg	4	Saarland	3
Bremen	3	Sachsen	4
Hamburg	3	Sachsen-Anhalt	4
Hessen	4	Schleswig-Holstein	4
Mecklenburg-Vorpommern	3	Thüringen	4
		Insgesamt	68

Da die Mitglieder durch Beschluß der jeweiligen Landesregierung in den Bundesrat entsandt werden, gibt es keine Bundesratswahlen und dementsprechend auch keine Wahlperioden. Der Bundesrat ist also verfassungsrechtlich gesehen ein „ewiges Organ", das sich aufgrund der Landtagswahlen und der daraus folgenden Regierungsumbildungen von Zeit zu Zeit erneuert.

Jedes Land kann seine Stimmen nur einheitlich abgeben (als Ja, Nein oder Enthaltung), denn im Bundesrat soll der Wille des Landes und nicht der des einzelnen Bundesratsmitglieds zum Ausdruck kommen. Die Mitglieder sind deshalb an die Beschlüsse ihrer Landesregierung bei der Stimmabgabe gebunden.

Die wichtigsten Aufgaben des Bundesrates liegen im Bereich der Gesetzgebung. Er kann dem Bundestag, dem vom Volk direkt gewählten Parlament, Gesetzentwürfe vorschlagen. Die Bundesregierung ist verpflichtet, Gesetzentwürfe, die sie beim Bundestag einbringen möchte, zunächst dem Bundesrat zur Stellungnahme vorzulegen.

Die wichtigste gesetzgeberische Funktion übt der Bundes-

Deutschlands Länder

Einwohnerzahlen in Millionen

DÄNEMARK

SCHLESWIG-HOLSTEIN 2,6
Kiel
MECKLENBURG-VORPOMMERN
Hamburg 1,6
Schwerin 1,9

POLEN

0,7 Bremen
7,2
NIEDERSACHSEN
3,0
Magde-burg
BRANDEN-BURG
Berlin 3,4
Potsdam

NIEDERLANDE

Hannover

NORDRHEIN-WESTFALEN
17,1
Düsseldorf

SACHSEN-ANHALT
2,6

BELGIEN

5,7
Erfurt

SACHSEN
Dresden 4,9

HESSEN
3,7
Wiesbaden
THÜRINGEN 2,7

RHEINLAND-PFALZ
Mainz

TSCHECHOSLOWAKEI

LUXEMBURG
Saarbrücken

SAAR-LAND 1,1
Stuttgart

BAYERN 11,2

FRANKREICH

BADEN-WÜRTTEM-BERG 9,6
München

ÖSTERREICH

SCHWEIZ

© Globus 8506

rat aber aus, wenn er die vom Bundestag beschlossenen Gesetze behandelt. Gesetze, die die Interessen der Länder in besonderer Weise berühren, können nämlich nur in Kraft gesetzt werden, wenn ihnen der Bundesrat zugestimmt hat.

Solche *Zustimmungsgesetze* sind:

- Gesetze, die die Verfassung ändern. Sie benötigen eine mit Zweidrittelmehrheit beschlossene Zustimmung des Bundesrates.
- Gesetze, die das Finanzaufkommen der Länder berühren. Hierunter fallen vor allem Gesetze über Steuern, an deren Aufkommen die Länder oder Gemeinden beteiligt sind.
- Gesetze, die in die Verwaltungshoheit der Länder eingreifen.

Das ist der Fall, wenn den Länderbehörden bestimmte Zu-

ständigkeitsregelungen, Vordrucke, Fristen, Verwaltungs-
gebühren oder neue Behörden durch Bundesgesetz vorgeschrieben werden. Wegen dieser Bestimmungen können
deshalb Gesetze zustimmungsbedürftig sein, die in ihrem
Kernbereich keine Länderinteressen berühren, wie beispielsweise völkerrechtliche Verträge oder Verteidigungs-
angelegenheiten.

Der verfassungspolitische Rang und die Bedeutung des Bundesrates ergibt sich hauptsächlich aus dem Mitentscheidungs-
recht bei den Zustimmungsgesetzen. Dieses Recht verleiht
dem Bundesrat und damit den Ländern großen Einfluß auf
die Gesetzgebung des Bundes, denn in der Praxis sind etwa
die Hälfte der Bundesgesetze Zustimmungsgesetze. Bei jedem
zweiten Gesetz kann der Bundestag also nicht allein Recht
setzen, sondern er muß bei seinen Entscheidungen Rücksicht
nehmen auf den Bundesrat. Dies hat besondere politische Bedeutung, wenn die parteipolitischen Mehrheitsverhältnisse in
Bundestag und Bundesrat unterschiedlich sind.

Die Länder sind über den Bundesrat auch am Zustande-
kommen der nicht zustimmungsbedürftigen Gesetze beteiligt.
Sie werden als *Einspruchsgesetze* bezeichnet. Der Bundesrat
kann hier aber nur als nachdrücklicher Mahner gegenüber
dem Bundestag auftreten. Der Bundestag hat das Recht, einen Einspruch des Bundesrates mit der absoluten Mehrheit
seiner Stimmen zurückzuweisen. Das Gesetz kann dann trotz
der ablehnenden Haltung des Bundesrates verkündet werden.

Im Bereich der *Verwaltung* hat der Bundesrat vor allem
Kontrollaufgaben gegenüber der Bundesregierung. Die Regierung ist nach dem Grundgesetz auch verpflichtet, den Bundesrat ,,über die Führung der Geschäfte auf dem laufenden
zu halten". Diese Informationspflicht bezieht sich auf alle
Regierungsgeschäfte und betrifft damit nicht nur die Vorhaben
auf dem Gebiet der Gesetzgebung und Verwaltung, sondern auch zum Beispiel die Unterrichtung über die allgemeine
politische Lage, die Außenpolitik und die Verteidigungspo-

litik. Die Mitglieder des Bundesrates haben außerdem zu allen *Sitzungen des Bundestages* und seiner Ausschüsse Zutritt. Sie müssen dort jederzeit gehört werden.

Bund und Länder haben sich bei der Erfüllung ihrer Aufgaben gegenseitig zu kontrollieren und wechselseitig zu begrenzen; sie müssen aber gleichzeitig auch aufeinander Rücksicht nehmen und zusammenwirken. In diesem Wechselverhältnis ist der Bundesrat ein *Gegengewicht* zu Bundestag und Bundesregierung, aber gleichzeitig auch ein *Bindeglied* zwischen Bund und Ländern:

- Durch den Bundesrat können die Länder ihre Interessen gegenüber dem Bund unmittelbar zur Geltung bringen.
- Durch den Bundesrat sind die Länder an der Bundesgesetzgebung beteiligt und erhalten dadurch einen gewissen Ausgleich für den weitgehenden Verlust eigener Gesetzgebungszuständigkeiten.
- Durch den Bundesrat führen die Länder ihre politischen und verwaltungsmäßigen Erfahrungen in die Gesetzgebung und Verwaltung des Bundes ein. So können die aus Landespolitik und Gesetzesvollzug gewonnenen Erkenntnisse unmittelbar für den Gesamtstaat nutzbar gemacht werden.
- Durch den Bundesrat sind die Länder an der gesamtstaatlichen Verantwortung beteiligt und so direkt in das politische Handeln und Unterlassen des Gesamtstaates einbezogen: sie entscheiden mit.

Der Föderalismus als Aufbauhilfe für die neuen Länder

Die bisherigen Länder der Bundesrepublik haben sich in den vergangenen Monaten — ebenso wie der Bund, die Kirchen, Verbände, Wirtschaftsunternehmen, Parteien und Bürgerinitiativen — mit Rat und Tat für die neuen Länder und ihre Bürger engagiert. Im unmittelbaren Kontakt mit den Menschen und verantwortlichen Stellen jenseits der gefallenen Mauer wurde in nahezu allen Lebensbereichen Hilfe geleistet.

Das den Föderalismus tragende bündische Prinzip der Einheit in Vielfalt bedeutet für Bund und Länder – alte wie neue – solidarisch füreinander einzustehen. Trotz aller Eigenständigkeit der Länder gilt es, auf eine richtig verstandene Einheitlichkeit der Lebensverhältnisse im Bundesgebiet hinzuwirken, und das heißt, die Folgen einer mehr als 40 Jahre lang real existierenden SED-Diktatur zu überwinden. Staat, Gesellschaft und Wirtschaft müssen überall im neuen Bundesstaat wieder zueinander finden. Deutschland muß nach der staatsrechtlichen Vereinigung auch geistig, kulturell und wirtschaftlich wieder zusammenwachsen. Der Föderalismus hat als eine bürgernahe, offene und dynamische Strukturform staatlicher Ordnung wesentliche Beiträge für die Prosperität und die politische Stabilität geleistet, die die Bundesrepublik Deutschland bisher auszeichneten. Er ist deshalb auch eine gute Basis für die Lösung der neuen Aufgaben, die sich im vereinten Deutschland stellen.

Die Landesparlamente im politischen System der neuen Länder

Von Hartmut Klatt

Das Grundgesetz als Bundesstaatsverfassung bildet den Rahmen für die föderative Ordnung der Bundesrepublik. Mit dem Beitritt der DDR zum Geltungsbereich des Grundgesetzes am 3. Oktober 1990 gilt die bundesstaatliche Verfassung auch für die fünf neuen Länder auf dem Gebiet der früheren DDR. In Art. 28 fordert das Grundgesetz die Bildung von Volksvertretungen in den Ländern. Die Ausgestaltung dieses bundesrechtlichen Verfassungsgebots erfolgt in den einzelnen Landesverfassungen. Direkt demokratisch legitimiert, stellen die Regionalparlamente – zumindest unter verfassungsrechtlichem Aspekt – die zentralen Institutionen im politischen System der Länder dar. Im folgenden sollen deshalb Struktur und Funktionen der neu gewählten Parlamente in den ostdeutschen Ländern skizziert werden.

Länder-Neubildung und Vorbereitungen für die Landtagswahlen

Die Bildung von fünf neuen Ländern auf dem Territorium der früheren DDR an Stelle der im Jahre 1952 unter dem damaligen SED-Regime eingerichteten 14 Bezirke war im ,,Verfassungsgesetz zur Bildung von Ländern der Deutschen Demokratischen Republik'' bestimmt worden. Dieses Ländereinführungsgesetz hatte die Volkskammer der DDR am 22. Juli 1990 beschlossen. Nach diesem Gesetz mußten die Landtage der fünf Länder Mecklenburg-Vorpommern, Brandenburg, Sachsen-Anhalt, Sachsen und Thüringen spätestens am 14. Tag nach der Wahl zusammentreten und binnen sechs Tagen eine vorläufige Landesregierung bilden. Nach § 23 des Gesetzes sind diese erstgewählten Landtage zugleich verfassunggebende Landesversammlungen.

Nach Verabschiedung und Inkrafttreten der jeweiligen Landesverfassungen sind dann nach den Bestimmungen eben dieser Verfassungen endgültig die einzelnen Landesregierungen zu bilden. Sie entsenden dann auch ihre Vertreter in den Bundesrat. Mecklenburg-Vorpommern wird drei, die übrigen neuen Bundesländer jeweils vier Stimmen im Bundesrat haben.

Entgegen dem Ländereinführungsgesetz wurden die neuen fünf Bundesländer juristisch schon am 3. Oktober 1990, dem Tag des Beitritts der DDR zum Geltungsbereich des Grundgesetzes, gebildet. Nach Art. 1 des Vertrages zwischen der Bundersrepublik Deutschland und der Deutschen Demokratischen Republik über die Herstellung der Einheit Deutschlands (Einigungsvertrag) vom 31. August 1990 wurde der Termin für die Länder-Neubildung auf dem Gebiet der früheren DDR vorgezogen.

Dagegen blieb es bei der Festlegung des Termins für die ersten Landtagswahlen auf den 14. Oktober 1990. Dieser Wahltermin war zwischen den Parteien der früheren DDR lange umstritten gewesen. Hier spielten taktische Gründe, die Dynamik des Einigungsprozesses sowie Überlegungen zum notwendigen Zeitraum für die Vorbereitungen der Landtagswahlen eine Rolle. Zudem war der Termin des Beitritts der DDR zur Bundesrepublik Deutschland lange offen. Auch ein Vorziehen der Landtagswahlen in den fünf neuen Bundesländern wurde diskutiert, um die Rechtsnachfolge der DDR durch ihre territorialen Subsysteme sicherzustellen. Dennoch blieb es letztlich beim Wahltermin 14. 10. 1990.

Zusammen mit dem Ländereinführungsgesetz schuf die Volkskammer noch die gesetzlichen Grundlagen für die Landtagswahlen in den fünf neuen Bundesländern. Am 22. Juli 1990 verabschiedete die Volkskammer das Gesetz über die

Wahlen zu Landtagen in der Deutschen Demokratischen Republik (Länderwahlgesetz).

Die Zahl der Abgeordneten in den einzelnen Landtagen wurde entsprechend der Einwohnerzahl stark differenziert. Für Brandenburg waren 88 Abgeordnete vorgesehen, für Mecklenburg-Vorpommern 66 MdL, für Sachsen 160 Mandatsträger, für Sachsen-Anhalt 98 Abgeordnete und für Thüringen 88 Mitglieder des Landtags.

Das Länderwahlgesetz sah als Wahlsystem entsprechend bundesdeutschem Muster die personalisierte Verhältniswahl vor. Die Hälfte der insgesamt 500 Landtagsabgeordneten gelangt über einen Wahlkreis – Direktmandat – und die andere Hälfte über eine Landesliste in das Landesparlament. Nach den Grundsätzen einer mit der Personenwahl verbundenen Verhältniswahl hatte der Wähler zwei Stimmen. Mit der ersten Stimme wurde ein Direktkandidat gewählt, mit der zweiten Stimme die Landesliste einer Partei oder Vereinigung. Wie bei der Bundestagswahl entschied auch bei den Landtagswahlen allein die Zweitstimme über die Stärke der Partei im jeweiligen Parlament.

Ebenso wie bei Bundestagswahlen galt auch hier die 5-Prozent-Klausel: über die Landesliste werden Mandate lediglich an solche Parteien oder Vereinigungen vergeben, die mindestens fünf Prozent der in dem jeweiligen Land abgegebenen Zweitstimmen oder in mindestens drei Wahlkreisen direkt einen Parlamentssitz errungen haben. Für Vereinigungen nationaler Minderheiten wurden Ausnahmeregelungen geschaffen.

Die Wahlgebiete (Länder) wurden in Wahlkreise eingeteilt; jeder Wahlkreis sollte in der Regel 60 000 Einwohner umfassen, wobei von dieser Zahl nicht mehr als 25 Prozent nach oben oder unten abgewichen werden durfte.

Ergebnisse der Landtagswahlen

Aus den ersten Landtagswahlen in den fünf neuen Bundesländern auf dem Gebiet der früheren DDR am 14. Oktober
1990 ist die CDU als Wahlsieger hervorgegangen. In drei Ländern errang sie die relative Mehrheit; im Bundesland Sachsen erreichte die CDU mit 53,8 Prozent sogar die absolute
Mehrheit. Die SPD ging in Brandenburg als stärkste politische Partei aus den Landtagswahlen hervor. In allen fünf
Ländern sind auch die Freien Demokraten sowie die PDS in
den neuen Landesparlamenten vertreten. In vier Ländern
überwand die Bürgerrechtsbewegung Bündnis '90 die 5-Pro-
zent-Hürde; davon in den drei südlichen Ländern Sachsen-
Anhalt, Sachsen und Thüringen über Listenverbindungen mit
den Grünen. Die DSU, die bei der Volkskammerwahl im
März 1990 noch mehr als sechs Prozent aller Wählerstimmen
erhalten hatte, scheiterte an dieser Hürde und ist in keinem
Landtag vertreten.

Für die 11,45 Millionen Wahlberechtigten in den neuen
Bundesländern war es die dritte Wahl, zu der sie nach der
politischen Wende in der DDR im Herbst 1989 aufgerufen
waren. Am 18. März 1990 hatten Wahlen zur Volkskammer
der DDR stattgefunden, aus der erstmals ein frei gewähltes
und somit demokratisch legitimiertes Parlament hervorging.
Am 6. Mai dieses Jahres waren Wahlen zu den Kommunal-
parlamenten angesetzt, bei denen über die Zusammensetzung
von fast 7 800 Kommunalvertretungen entschieden wurde.

Die CDU, die schon bei diesen beiden Wahlen mit Abstand
die meisten Wählerstimmen gewonnen hatte, konnte diesen
Erfolg bei den Landtagswahlen wiederholen. Sie errang rund
43 Prozent der abgegebenen Stimmen gegenüber 40,8 Prozent bei den Volkskammerwahlen und etwa 34 Prozent bei
der Abstimmung über die Zusammensetzung kommunaler
Volksvertretungen. An zweiter Stelle folgt die SPD, die bei
den Landtagswahlen rund 25 Prozent der abgegebenen Stimmen erreichte, gegenüber rund 21 Prozent bei den beiden vor-

angegangenen Wahlen. Drittstärkste Partei blieb die SED-Nachfolgeorganisation PDS mit etwas mehr als 11 Prozent, die damit aber erheblich gegenüber der Volkskammerwahl (16 Prozent) und den Kommunalwahlen (14 Prozent) zurückfiel. Die Grünen sind nur in drei Landtagen vertreten; diesen Erfolg verdanken sie Listenverbindungen mit der Bürgerrechtsbewegung Bündnis '90.

Die Wahlbeteiligung war relativ gering. Während sie bei der Volkskammerwahl im März dieses Jahres noch weit über 90 Prozent betragen hatte, lag sie diesmal in Mecklenburg-Vorpommern und Sachsen-Anhalt nur jeweils bei 65 Prozent, in Brandenburg bei 67 Prozent, in Thüringen bei 72 und in Sachsen bei 73 Prozent. Von Meinungsforschern wurde diese geringe Wahlbeteiligung sowohl mit einem gewissen ,,Ermüdungseffekt'' angesichts des dritten Wahlgangs innerhalb von acht Monaten als auch mit einer abwartenden Haltung gegenüber den neuen, vielfach noch wenig bekannten Landespolitikern erklärt, die zum Teil auch aus dem Westen kamen.

Was die Landtagswahlen hervorbrachten, war in der Hauptsache ein Abbild des westdeutschen Parteiensystems. Neben den im Bundestag vertretenen Parteien konnten nur noch die Bürgerrechtsbewegungen, zusammengeschlossen im Bündnis '90, sowie die PDS als Nachfolgepartei der kommunistischen SED in die Regionalparlamente einziehen.

Darüber hinaus lassen sich aus dem Wahlergebnis auch einige bemerkenswerte Varianten ablesen. So konnten nicht nur Parteien, sondern auch Personen eine auffallende Zustimmung verbuchen. Es waren dies Kurt Biedenkopf in Sachsen sowie Manfred Stolpe in Brandenburg, denen die Wähler über ihre Parteien hinaus Vertrauen entgegenbrachten.

Zusammensetzung der Landesparlamente

Die Mitgliederzahl der Regionalparlamente bemißt sich grundsätzlich nach dem Länderwahlgesetz. Gemäß der Bevölkerungszahl schwankt die Größe der Landtage zwischen 66 Mandaten (Mecklenburg-Vorpommern) und 160 Parlamentssitzen (Sachsen). Unter Berücksichtigung von Überhangmandaten waren in den fünf Landtagen insgesamt 509 Mandate zu vergeben, bezogen auf insgesamt 11,45 Millionen Wahlberechtigte in den fünf neuen Ländern.

Die parteipolitische Zusammensetzung der Landtage zeigt die führende Stellung der CDU. Sie besetzt 240 Mandate in den fünf Landtagen, gefolgt von der SPD mit 136 Mandaten, der PDS mit 63 sowie den Freien Demokraten mit 42 Sitzen. Die Bürgerrechtsbewegungen (Bündnis '90) verfügen alleine über sechs Sitze in Brandenburg; in Listenverbindung mit den Grünen kommen nochmals 21 Mandate hinzu. Ein Abgeordneter ist im Schweriner Landtag unabhängig.

Aus der Mandatsverteilung ergibt sich die Besetzung der parlamentarischen Leitungsorgane durch die Fraktionen. In vier Regionalparlamenten stellt die CDU als stärkste Fraktion jeweils den Landtagspräsidenten; nur in Potsdam wurde der von der SPD als stärkster Fraktion vorgeschlagene Kandidat zum Präsidenten des dortigen Landtags gewählt.

Auf die Regierungsbildung, in deren Rahmen sich die Parlamentsfraktionen zur Regierungsmehrheit und Opposition formieren, soll hier nur kurz eingegangen werden. In Sachsen bildete die CDU mit komfortabler Mandatsmehrheit eine Einpartei-Regierung; die anderen Fraktionen im Landtag gingen in die Opposition. Kurt Biedenkopf wurde mit Stimmen aus dem Oppositionslager zum Ministerpräsidenten gewählt. In drei der neuen Länder (Sachsen-Anhalt, Mecklenburg-Vorpommern und Thüringen) wurden christlich-liberale Regierungskoalitionen aus CDU und Freien Demokraten gebildet; die Ministerpräsidenten erhielten teilweise mehr, teilweise weniger Stimmen als die jeweilige Koalition zählt.

Äußerst knappe Mehrheitsverhältnisse bestehen allein im Landtag Mecklenburg-Vorpommern; dort herrschte ursprünglich ein Mandatsgleichstand zwischen CDU und FDP einerseits, SPD und PDS andererseits. Eine große Koalition

Landtage und Regierungen

	Mandats-zahl insges.	Verteilung der Landtags-Mandate	Stärkste Fraktion/ Landtagspräsident und Vizepräsidenten	Parteien, die die Landesregierung bilden	Minister-präsident
Branden-burg	88	SPD 36 CDU 27 PDS 13 FDP 6 B-90 6[4]	SPD Präs. Dr. Herbert Knoblich (SPD) VP Karl-Heinz Kretschmer (CDU)	SPD 36 FDP 6 48 B-90 6	Dr. Manfred Stolpe (SPD)
Mecklen-burg-Vorpom-mern	66	CDU 29 SPD 20[3] PDS 12 FDP 4 Fraktionslos 1[3]	CDU Präs. Rainer Pracht (CDU) VPen Rolf Eggert (SPD) Stefanie Wolf (FDP)	CDU 29 FDP 4 34 Frakt.los 1	Dr. Alfred Gomolka (CDU)
Sachsen	160	CDU 92 SPD 32 PDS 17 B-90/Grüne 10[5] FDP 9	CDU Präs. Erich Iltgen (CDU) VPen Dr. Rudorf (SPD) Sandig (CDU)	CDU 92	Prof. Dr. Kurt Biedenkopf (CDU)
Sachsen-Anhalt	106[1]	CDU 48 SPD 27 FDP 14 PDS 12 B-90/Grüne 5[5]	CDU Präs. Dr. Klaus Keitel (CDU) VPen Dr. Rüdiger Fikentscher (SPD) Cornelia Pieper (FDP)	CDU 48 FDP 14 62	Dr. Gerd Gies (CDU)

Thüringen	89²)	CDU 44 SPD 21 FDP 9 PDS 9 B-90/Grüne 6⁵)	Präs. Dr. Gottfried Müller (CDU) VPen Peter Friedrich (SPD) Peter Backhaus (FDP)	CDU 44 FDP 9 53	Josef Duchac (CDU)
Summe (fünf neue Bundesländer)	509	CDU 240 SPD 136 PDS 63 FDP 42 B-90 6 B-90/Grüne 21 Frakt.los 1	CDU 4 SPD 1	4 CDU-geführte Landesregierungen (davon 1 Einpartei-L.Reg. 3 Koal.regierungen mit der FDP) = 15 BRats-Stimmen 1 SPD-geführte Landesregierung (Koalition mit FDP und Bündnis 90) = 4 BRats-Stimmen	CDU 4 SPD 1

1) Die gemäß Länderwahlgesetz zu wählende Zahl von 98 Abgeordneten erhöhte sich durch Überhangmandate auf 106 MdL
2) Mandatszahl einschließlich eines Überhangmandats
3) 1 SPD-MdL trat nach der Landtagswahl aus Partei und Fraktion der SPD aus; er gehört dem Landtag als fraktionsloser Abgeordneter weiterhin an und unterstützt die Regierungskoalition von CDU und FDP
4) Bündnis '90 (Zusammenschluß der Bürgerrechtsbewegungen)
5) Listenvereinigung von Bündnis '90 und Grünen

zwischen CDU und SPD wurde jedoch überflüssig, da ein SPD-Abgeordneter aus Partei und Fraktion austrat und somit der bürgerlichen Koalition zur Mehrheit verhalf.

In Brandenburg dauerten die Koalitionsverhandlungen außerordentlich lange. Der spätere Ministerpräsident Stolpe, Teile der SPD und die CDU tendierten zunächst in Richtung auf eine Große Koalition zwischen SPD und CDU. Nach langem Zögern und einer Intervention der Bundes-FDP kam schließlich eine Regierungskoalition aus Sozialdemokraten, Freien Demokraten und den im Bündnis '90 zusammengeschlossenen Bürgerrechtsbewegungen unter Führung des der SPD angehörigen Ministerpräsidenten Stolpe zustande. Die Koalition ist in dieser Zusammensetzung auf Bundes- und Länderebene einmalig; da die Grünen nicht beteiligt sind, kann von einer ,,Ampelkoalition'' keine Rede sein; durch Einschluß des Bündnis '90 existiert hier auch keine sozialliberale Koalition wie im Hamburger Senat.

Da der Aufbau der fünf neuen Länder im Interesse aller Fraktionen in den Regionalparlamenten liegt, gehen Absichtserklärungen und Tendenzen in den verschiedenen Fraktionen dahin, übergreifende Mehrheiten in den Landtagen zu suchen. Dieser Trend zu Allparteien-Koalitionen mag für wichtige Politikfelder in Zukunft realisiert werden. Deutlich ist indes bereits geworden, daß gleichwohl parteipolitische Akzentuierungen und Grenzziehungen zwischen Regierungspartei(en) sowie Oppositionsfraktionen Platz greifen. Parteipolitische Trennungslinien zeichnen sich beispielsweise bereits im Bundesrat sowie im Finanzplanungsrat ab. Gegensätzliche Positionen zwischen den vier CDU-geführten Ländern und dem SPD-regierten Brandenburg ergeben sich auch im Zwischenländerverhältnis. So sind die Vorstellungen des Rundfunkbeauftragten Mühlfenzl zur Neuordnung des Deutschen Fernsehfunkes, die die CDU-Ministerpräsidenten mit Bundeskanzler Kohl beraten hatten, bei Regierungschef Stolpe auf Kritik gestoßen.

Organisation und Struktur der Landtage

Nach den Bestimmungen des Ländereinführungsgesetzes traten die fünf Landtage in der zweiten Oktoberhälfte zur konstituierenden Sitzung zusammen. Als zweite Phase der friedlichen Revolution in der früheren DDR kann die Konstituierung der Regionalparlamente als symbolischer Akt der Schöpfung neuer Staatlichkeit zwischen Elbe und Oder bezeichnet werden.

Für die konstituierenden Sitzungen der Landtage hatten sich die fünf Länder auf eine gewisse Reihenfolge verständigt. Danach wurde in feierlichem Rahmen mit einer Ansprache des jeweiligen Alterspräsidenten der Landtag eröffnet. Anschließend erfolgte die Verabschiedung einer vorläufigen Geschäftsordnung sowie die Wahl des jeweiligen Landtagspräsidenten und seiner Stellvertreter.

In Mecklenburg-Vorpommern und Sachsen-Anhalt mußte eine Entscheidung über die Landeshauptstadt getroffen werden. Mit parlamentarischer Mehrheit wurden Schwerin und Magdeburg zum Sitz des Landesparlaments und damit zur Landeshauptstadt bestimmt.

Im Anschluß an die feierliche Eröffnungssitzung der Landesparlamente, womit nach außen hin gleichzeitig die Konstituierung der fünf neuen Bundesländer erfolgte, wurden vorläufige Landesorganisationsgesetze als Grundlage für die Arbeit von Landtagen und Landesregierungen verabschiedet. Die Länder hatten sich hierfür auf einen im wesentlichen gleichlautenden, aber unterschiedlich benannten Entwurf über die vorläufige Ordnung der Landesgewalt geeinigt.

Mit den Arbeitssitzungen, die zum Teil nicht in den gleichen Sitzungssälen stattfinden, sind die Landtage zum parlamentarischen Alltag übergegangen. Im Rahmen von Arbeitsteilung und Spezialisierung erfolgte eine Ausdifferenzierung der Landesparlamente in verschiedene Organisationseinheiten, das heißt Leitungsorgane, Ausschüsse sowie das Plenum mit verschiedenen Zuständigkeiten.

Parallel zu dieser parlamentarischen Organisationsstruktur besteht die parteipolitische Gliederung der Landtage in Form von Fraktionen. Spiegelbildlich zur Parlamentsorganisation erfolgt auch bei den Fraktionen eine Ausdifferenzierung in verschiedene Organisationseinheiten, nämlich in die Fraktionsvorstände, Arbeitskreise und Arbeitsgruppen sowie die Fraktionsvollversammlungen.

Um die Arbeitsfähigkeit der neuen Landtage zu gewährleisten, sind erste gesetzliche Regelungen zur Rechtsstellung der Abgeordneten (Immunität, Indemnität und Diäten) in Angriff genommen worden.

Die Selbstorganisation der Landtage in den neuen Bundesländern leidet vielfach noch unter räumlichen und personellen Schwierigkeiten. Sitzungssäle für das Plenum und die Ausschüsse müssen ebenso gefunden werden wie Arbeitsräume für die Abgeordneten und die Landtagsverwaltung.

Parlamentarisches Regierungssystem der Länder

Die Landesverfassungen sowie die Organisationsgesetze über die Verfassungsorgane und die Verwaltung der Länder bilden die Grundlage des politischen Systems in den Ländern der Bundesrepublik Deutschland. Als Rahmen für die Verfassungsgebung in den Ländern ist das Grundgesetz als Bundesstaatsverfassung zu berücksichtigen. Nach Artikel 28 Abs. 1 GG gilt das Homogenitätsgebot für die verfassungsmäßige Ordnung der Länder. In den westlichen Bundesländern bestehen gemäß den unterschiedlich ausgestalteten Verfassungsordnungen Varianten des parlamentarischen Systems; diese Unterschiede spielen jedoch in der politischen Praxis kaum eine Rolle. In den neuen Ländern wird erst mit der Verabschiedung der Landesverfassungen der Typus des parlamentarischen Systems und damit das Regierungssystem der Länder insgesamt festgelegt. Aufgrund der Hilfe durch die Partnerländer wird man davon ausgehen können, daß bei der Verfassungsgebung für die neuen Länder dem politischen System der alten Bundesländer Vorbildfunktion zukommt.

Als gesetzgebende Landesversammlungen haben die neu gewählten fünf Landtage die Aufgabe, das Regierungssystem der fünf Länder verfassungsrechtlich zu gestalten. Mit der Verabschiedung sogenannter vorläufiger Landesstatute, die die rechtliche Grundlage für die Arbeit von Landtag und Landesregierung bilden, wurden Übergangsregelungen bis zum Inkrafttreten der regulären Landesverfassungen geschaffen. In einigen Regionalparlamenten kam es zu Auseinandersetzungen über das notwendige Quorum für die Annahme dieser Gesetze über die vorläufige Ordnung der Regierungsgewalt in den jeweiligen Ländern.

Darüber hinaus enthalten diese verfassungsvertretenden Gesetze Bestimmungen zur Erarbeitung der Verfassung. In Brandenburg zum Beispiel beruft der Landtag einen Verfassungsausschuß, der beauftragt worden ist, dem Landtag bis zum 31. 6. 1991 einen Verfassungsentwurf zur Beschlußfassung vorzulegen. Im Koalitionsvertrag haben sich die drei Fraktionen auf eine breite Beteiligung der Öffentlichkeit an der Ausarbeitung der Landesverfassung verständigt. Die Landessatzung, die der neue Thüringische Landtag als erstes Gesetz beschloß, soll bis Ende 1992 durch eine reguläre Verfassung abgelöst werden.

Kompetenzen der Landtage

Obwohl noch keine endgültigen Landesverfassungen vorliegen, lassen sich die Kompetenzen der Landtage in den neuen Ländern bereits jetzt bestimmen. Sie ergeben sich aus den vorläufigen Landessatzungen, aus dem parlamentarischen Regierungssystem insgesamt sowie aus den Bestimmungen zur bundesstaatlichen Ordnung im Grundgesetz.

Grundlage für die Ausübung der Parlamentsfunktion ist die Kompetenzzuweisung. Die Verteilung der Befugnisse im

Grundgesetz erfolgt getrennt nach Gesetzgebungszuständigkeiten, Verwaltung, Finanzwesen und Gerichtsbarkeit. In der wissenschaftlichen und politischen Diskussion bezieht sich der Begriff Parlamentskompetenz nahezu ausschließlich auf die Gesetzgebungszuständigkeiten. Diese Aussage bedarf der Präsisierung dahingehend, daß die Landtage über drei weitere, grundsätzlich gleichrangige Kompetenzarten verfügen, nämlich

- Wahl des Regierungschefs bzw. Bestätigung weiterer Regierungsmitglieder oder der Gesamtregierung;
- parlamentarische Regierungs- und Verwaltungskontrolle;
- Kompetenz zur Wahrnehmung der Kommunikationsfunktion.

Um diese Zuständigkeitsbereiche der Parlamente hinreichend genau bestimmen zu können, bedarf es zusätzlich des Rückgriffs auf die allgemeine Kompetenzverteilung zwischen Bund und Ländern im Verwaltungsbereich einschließlich der nichtgesetzesausführenden Verwaltung sowie der ungeschriebenen Verwaltungs- und Finanzierungszuständigkeiten.

Für die Landtage von Schwerin bis Dresden sind zusätzlich die Bestimmungen im Einigungsvertrag Artikel 35 – 39 (Kultur, Rundfunk, Bildung, Wissenschaft und Forschung sowie Sport) zu berücksichtigen, die die Kompetenzausübung der neuen Länder betreffen. Demnach ergeben sich Einflußmöglichkeiten des Bundes durch massive Finanzhilfen für die neuen Länder, zum Beispiel im Kulturbereich.

Funktionen und Funktionsausübung

Mit direkter demokratischer Legitimation versehen, bilden die Landesparlamente die zentralen Institutionen des politischen Systems in den Ländern. Alles staatliche Handeln unterliegt ihrer Steuerung und Kontrolle. Insoweit lassen sich folgende Parlamentsfunktionen unterscheiden:

- Politikformulierung und -gestaltung (begleitende Kontrolle oder Kontrolle durch Mitwirkung);
- Politikkontrolle (nachträgliche Kontrolle);
- Politikdiskussion (Kontrolle durch Öffentlichkeit).

Von der verfassungsrechtlichen Ordnung her kommen diese Funktionen dem gesamten Parlament zu. In der politischen Praxis des parlamentarischen Regierungssystems bilden Regierung und Parlamentsmehrheit jedoch eine politische Aktionseinheit. Die Existenz der Regierung sowie die Grundlinien der Regierungspolitik werden von der Landesregierung nur in kontinuierlicher Zusammenarbeit und Abstimmung mit der/den Regierungsfraktion/en formuliert und durchgesetzt. Dabei kontrolliert die Mehrheit nicht-öffentlich, aber sehr effizient. Die Oppositionsfraktion/en üben parlamentarische Kontrolle dagegen öffentlich, aber selten wirkungsvoll aus.

Eine Analyse der Funktionsausübung der Landesparlamente in den neuen Ländern ist aus Zeitgründen noch nicht möglich. Die Landtage haben sich erst konstituiert; die parlamentarische Arbeit in Schwerin, Potsdam, Magdeburg, Erfurt und Dresden hat erst begonnen.

Zeitlich unmittelbar am Anfang der Legislaturperiode steht die Wahl des Regierungschefs und damit die Aufgabe des Landesparlaments, eine Regierung ins Amt zu bringen. Inzwischen haben alle fünf Landtage ihre Wahlfunktion wahrgenommen. Nach der Benennung der Minister durch den Regierungschef bedurften die Kabinette der parlamentarischen Bestätigung. Nach der Vereidigung der Minister in den Landtagen haben die Landesregierungen ihre Arbeit aufgenommen; den Auftakt hierzu bildeten die Regierungserklärungen der Ministerpräsidenten in den Parlamenten und die Aussprache hierzu.

Neben ihrer Funktion als verfassungsgebende Landesversammlungen haben die Landtage die Aufgabe der Gesetzgebung. Diese Arbeit kommt erst langsam in Gang, da die Parlamente ebenso wie die Landesregierungen erst die zeitlichen, räumlichen und personellen Voraussetzungen für ihre Arbeitsfähigkeit schaffen müssen.

So sind Mängel nicht auszuschließen, wie ein Beispiel in Thüringen zeigt. Dort billigten die Abgeordneten in erster Lesung ein Gesetz zur Errichtung einer Landesversicherungsanstalt, das ihnen erst am Morgen vor der Sitzung vorgelegen hatte. Die Koalitionsfraktionen und die SPD-Opposition hatten daraufhin die Landesregierung aufgefordert, eine Liste der Gesetze vorzulegen, die 1990 noch verabschiedet werden sollten. Auch in Sachsen-Anhalt wurde das Kabinett aufgefordert, einen Gesetzgebungsplan zur Unterrichtung des Landesparlaments, was wann ansteht, vorzulegen. Zu diesen parlamentarischen Aktivitäten haben Regierungserklärungen beigetragen, die in den neuen Ländern weithin aus allgemeinen Programmen und Konzeptionen bestanden, während konkrete gesetzgeberische Vorhaben mit Finanzierungsvorschlägen fehlten. Konkrete Aussagen zur Finanzierung der Landesausgaben lassen sich aber im Augenblick noch nicht treffen, da erst die Vorarbeiten für die Aufstellung der Landeshaushalte für 1991 begonnen haben.

Auch in Richtung auf die Ausübung der parlamentarischen Kontrolle sind erste Schritte bereits getan worden. So haben im Landtag Mecklenburg-Vorpommern zum Beispiel Abgeordnete aller Fraktionen die Arbeit der Treuhandanstalt kritisiert und Veränderungen dahingehend verlangt, daß das Treuhandgesetz praktikabler gestaltet und stärker auf die regionalen Interessen ausgerichtet wird. Nach Beratungen im Wirtschaftsausschuß wurde der Ministerpräsident aufgefordert, über eine Gesetzesinitiative im Bundesrat die Unterstellung der Treuhandanstalt unter Länderhoheit zu erreichen. Im Magdeburger Landtag hat die Opposition über das Informations- und Kontrollinstrument von Anfragen die Landesregierung aufgefordert, ihre Position zum atomaren Endlager im Lande und die Möglichkeit zur Beendigung der Lagerung von radioaktivem Müll darzulegen.

Große Anstrengungen unternehmen die Abgeordneten im Hinblick auf eine effiziente Parlamentskontrolle bei der Personalpolitik. Beim Aufbau der Regierungsapparate und der Landesverwaltungen kommt es in großem Stil sowohl zu Entlassungen von Mitarbeitern als auch zu Einstellungsaktionen. Gerade in der Phase des Aufbaus der Verwaltungen bedarf es einer begleitenden Kontrolle durch die Parlamente.

Die Kommunikationsfunktion beinhaltet zwei Komponenten. Zum einen bilden die Landtage das öffentliche Forum für alle landespolitischen Fragen. Daneben haben die Abgeordneten die Aufgabe, durch Interaktionen zwischen Wählern und Gewählten eine stetige Verbindung und Rückkoppelung zwischen Bevölkerung und politischer Führung herzustellen und aufrecht zu erhalten. Daß diese Aufgabe der Landtage gerade in den neuen Ländern von großer Bedeutung ist, zeigt ein Beispiel aus Brandenburg. Vor kurzem demonstrierten Mieter vor dem Gebäude in Potsdam, in dem das Landesparlament provisorisch untergebracht ist. In einem offenen Brief an Ministerpräsident Stolpe war die Forderung enthalten, das Landesparlament solle sich mit den Schwierigkeiten der Mieter befassen.

Ein besonders schwieriges Politikfeld bilden die föderalen Aufgaben. Die Kooperation der Exekutiven der Länder untereinander sowie zwischen Bund und Ländern bedürfen im besonderen parlamentarischer Kontrolle und Mitsteuerung. Schon haben sich die fünf Ministerpräsidenten der ostdeutschen Länder zum ersten Mal in Potsdam getroffen und gemeinsame Interessen gegenüber dem Bund und den alten Ländern zum Ausdruck gebracht. Zudem waren die Beziehungen zu den Partnerländern, insbesondere die finanzielle und personelle Aufbauhilfe, ein Thema.

Ein weiteres Instrument des kooperativen Föderalismus sind förmliche Abkommen. So haben Nordrhein-Westfalen und Brandenburg bereits einen Kooperationsvertrag abgeschlossen, wonach dem neuen Land für einige Zeit Behörden und staatliche Einrichtungen in Nordrhein-Westfalen zur

Mitbenutzung offenstehen. Neben der umfassenden Unterstützung des Landes Nordrhein-Westfalen für Brandenburg wollen beide Länder auch gemeinsame Einrichtungen schaffen.

Auch die Pläne für die Zukunft des Deutschen Fernsehfunks und damit für die Neuordnung des öffentlich-rechtlichen Rundfunks in den neuen Ländern gehört zur Gestaltungs- und Kontrollbefugnis der Volksvertretungen.

Sonderfall Berlin

Durch den Beitritt der DDR zur Bundesrepublik am 3. Oktober 1990 sind auch die beiden Teile Berlins vereint worden. Nach dem Willen der Gesetzgeber in den beiden bisher getrennten Stadtteilen wurde am 2. Dezember 1990, dem Tag der gesamtdeutschen Wahl, erstmals seit dem 20. Oktober 1946 auch wieder eine Gesamtberliner Volksvertretung gewählt. Das Westberliner Abgeordnetenhaus und die Ostberliner Stadtverordnetenversammlung hatten deshalb in nahezu gleichlautenden Gesetzen die rechtlichen Grundlagen für diese Wahl einheitlich gestaltet.

Um den Weg für diese Wahl freizumachen, hatte das erst am 29. Januar 1989 gewählte Abgeordnetenhaus in Westberlin entsprechend Artikel 39 der Verfassung beschlossen, die bisherige Wahlperiode vorzeitig zu beenden. Dazu mußte die Berliner Verfassung geändert werden.

Aus den Wahlen zum Gesamtberliner Abgeordnetenhaus ging die CDU als Sieger hervor; sie erhielt 100 von insgesamt 240 Mandaten (neben den 200 Parlamentssitzen wurden insgesamt 40 Überhangmandate verteilt). Die SPD erhielt 76, die PDS 23, die FDP 18, die Listenverbindung Grüne/Alternative Liste 12 und das Bündnis '90/Grüne 11 Mandate.

Aufgrund dieser Sitzverteilung dürfte es zu einer Großen Koalition zwischen CDU und SPD unter Führung von Eberhard Diepgen (CDU) als Regierendem Bürgermeister kommen.

Die Ostberliner Verfassung tritt mit dem Tag der konstituierenden Sitzung des Gesamtberliner Abgeordnetenhauses außer Kraft; die bisherige Verfassung von Westberlin wird zu einer Gesamtberliner Verfassung ausgestaltet.

Perspektiven

Die Landespolitik von Schwerin bis Dresden dürfte in den nächsten Jahren durch schwierige Perspektiven gekennzeichnet sein. Hierbei stehen Arbeitslosigkeit, ökologische Katastrophen, Wohnungsbau und Infrastruktur, der notwendige Umbau von Landwirtschaft und Industrie mittels Wirtschaftsförderung und Investitionen sowie grundlegende Änderungen des Schul- und Bildungswesens im Vordergrund. Auseinandersetzungen über die notwendigen Finanzen mit dem Bund und den westlichen Ländern sind vorprogrammiert.

Ob westdeutsche Strukturen übernommen werden oder aber auf eigenständige Regelungen zurückgegriffen wird, muß von Fall zu Fall entschieden werden. In jedem Fall werden eine Reihe von Zukunftsfragen nur in einem weitgehend interfraktionellen Konsens beantwortet werden können.

Für die Landtage wird Priorität haben, dem administrativen Aufbau einen gesetzlichen Rahmen zu geben und Regierungshandeln sowie Verwaltungstätigkeit intensiv zu kontrollieren. Daneben muß auf den verschiedenen Politikfeldern der Landespolitik die notwendige legislative Grundausstattung geschaffen werden. Die große Herausforderung besteht darin, effiziente Strukturen der Mitwirkung an der Politikformulierung und zur parlamentarischen Kontrolle zu schaffen beziehungsweise einzuüben und zu praktizieren.

Sicherlich trifft zu, daß die Stellung und die Möglichkeiten der Landesparlamente bis zu einem gewissen Grad von der Stellung der Länder insgesamt im verfassungsmäßigen Gefüge abhängig sind. Für die neuen Länder heißt dies, daß die zumindest für einige Jahre absehbare Struktur- und Finanzschwäche auch die parlamentarischen Gestaltungsspielräume einengt. Dies spricht aber nicht gegen die bundesstaatliche Ordnung, sondern erfordert geradezu Reformen dieses Strukturprinzips. In diesem Zusammenhang geht es vor allem darum, nach dem Vorbild der Verfassungsreform in Schleswig-Holstein die Stellung der Regionalparlamente in den Verfassungsordnungen der neuen Länder gezielt zu verbessern. Hinzu muß eine Stärkung der Landeskompetenzen, besonders im Gesetzgebungsbereich und im Finanzsektor, kommen; eine Strategie, die von den Ministerpräsidenten bei den Verhandlungen zum Einigungsstaatsvertrag verfolgt wurde und die nun im Rahmen der Verfassungsänderungen und -ergänzungen in den gesetzgebenden Körperschaften des Bundes zur Diskussion steht.

Autorenhinweise

Alexander Hoffmann, Jahrgang 1947, geboren in Ludwigsburg, Abitur in Düsseldorf, lebt seit rund zwanzig Jahren in Frankfurt am Main. Er war politischer Redakteur bei der „Frankfurter Rundschau" und der „Süddeutschen Zeitung" und ist seit 1983 freier Journalist.

Ministerialrat Dr. Hartmut Klatt, geboren 1940, ist Leiter des Referates Öffentlichkeitsarbeit in der Verwaltung des Deutschen Bundestages in Bonn.

Konrad Reuter promovierte 1967 zum Dr. jur., war bis 1971 in den Diensten des Landes Baden-Württemberg und ist seither in Bonn Beamter des Bundesrates (Grundsatzangelegenheiten, Parlamentsdienst, Pressesprecher, Ausschußsekretär).

Anschriften der Staatskanzleien

Brandenburg
Ministerpräsident: Dr. Manfred Stolpe
Chef der Staatskanzlei: Staatssekretär Dr. Jürgen Linde

Heinrich-Mann-Allee 107
O-1561 Potsdam

Mecklenburg-Vorpommern
Ministerpräsident: Dr. Alfred Gomolka
Chef der Staatskanzlei: Staatssekretär Dr. Matthias Zender

Schloßstraße 2 – 4
O-2750 Schwerin

Sachsen
Ministerpräsident: Prof. Dr. Kurt Biedenkopf
Chef der Staatskanzlei: Staatsminister Arnold Vaatz

Archivstraße 1
O-8060 Dresden

Sachsen-Anhalt
Ministerpräsident: Dr. Gerd Gies
Chef der Staatskanzlei: Staatssekretär Dr. Karl Gerhold

Hegelstraße 42
O-3010 Magdeburg

Thüringen
Ministerpräsident: Josef Duchac
Chef der Staatskanzlei: Staatssekretär Dr. Michael Krapp

Johann-Sebastian-Bach-Straße 1
O-5085 Erfurt

Personen- und Sachregister